D0417362

La nouvelle clé

Du même auteur:

Le secret de la grande pyramide, Éd. Adyar, Paris
L'énigme du grand sphinx, Éd. Adyar et J'ai lu, Paris
La Nième dimension, Éd. Adyar, Paris
Comment vaincre peurs et angoisses, Éd. Dangles, Orléans
Le livre de la mort douce, Éd. Dangles, Orléans
La clé, Éd. Astra, Paris
Le livre de chevet, Éd. du Roseau, Montréal
J'ai vécu 100 vies
Sois un as
Chez Mme Feuillet-Barbarin les Mas de la Rouguière 06480 La Colle sur loup (France)

ISBN: 2-920083-16-3

Édition originale: Gérard Nizet éditeur, 1957
Dépôt légal 4e trimestre 1985
Bibliothèque nationale du Québec
Bibliothèque nationale du Canada

Distributeur: Diffusion Raffin
7870, Fleuricourt
St-Léonard (Québec)
H1R 2L3

Georges Barbarin

La nouvelle clé

Enseignements, paraboles et maximes

LECTEUR, CECI N'EST PAS UN OUVRAGE CONFECTIONNÉ MAIS UN LIVRE SUR MESURE QUI S'ADAPTE EXACTEMENT À TON PROBLÈME COMME AU PROBLÈME DE CHACUN. APPAREMMENT FAIT POUR TOUS IL EST RÉELLEMENT TON LIVRE ET IL T'APPARTIENT DE L'INTERPRÉTER SELON TES BESOINS VÉRITABLES ET DE L'UTILISER POUR TES PROPRES BUTS

AVERTISSEMENT

Un monde nouveau est en train de surgir. L'humanité prépare des couches gigantesques.

Contrairement à ce que pensent les timorés ce n'est pas une destruction qui s'amorce mais une réédification qui s'accomplit. La société est agitée dans ses profondeurs par le plus grand enfantement de tous les siècles. Mais ce trouble immense n'est pas signe de mort ; il est signe de résurrection.

Nous sommes à la veille d'une transformation sensationnelle de la matière, délivrée de sa contrainte pesante et transposée en mouvement. L'Esprit reprend ses droits et se libère de l'obscurité des vieux textes. À temps neufs formules nouvelles. Tous les concepts philosophiques sont dépassés. Car l'Esprit apparaît comme intimement lié à la matière et, par opposition à l'heure présente, où l'esprit est abaissé par la matière, c'est la matière elle-même qui sera élevée par l'Esprit.

Toutes les philosophies et les religions devront se mettre à l'alignement, de gré ou de force. Toutes les structures sociales et politiques seront forcées de s'adapter à l'Évolution. Car celle-ci va s'accélérant de jour en jour et même d'heure en heure. Et sa poussée est si puissante qu'elle brise ce qui lui fait obstacle et propulse ce qui la sert.

⁂

Mais l'Évolution humaine, pour s'harmoniser avec l'Évolution générale, repose sur un pivot qui n'est ni la philosophie, ni la religion, ni la science, ni la race, ni la nation, ni même la famille, mais uniquement l'Individu.

Seul, l'Individu est reconnu et accepté désormais par l'Intelligence Universelle en qualité de cellule-mère de la nouvelle Humanité.

Sont, par conséquent, déchus, périmés, rejetés les dogmes, lois, enseignements de l'Autorité extérieure pour faire place à l'unique Autorité intérieure, celle de Dieu individuel. Non plus Dieu abstrait, scholastique ou théologique, ni Dieu à toutes mains, ni Dieu *a priori*. Non plus Dieu justicier, vengeur, ni Dieu statique et immobile, mais Dieu souriant et évolutif, penché amoureusement sur ses créatures et sa création.

Pour faire évoluer cette création Dieu a besoin de l'évolution de ses créatures afin d'évoluer lui-même harmonieusement.

Ainsi l'Homme n'est plus serviteur mais collaborateur de Dieu pourvu qu'il en ait conscience et se rende digne de participer à la conduite de l'Univers.

L'enseignement qui suit n'a pas d'autre intention que de montrer les opportunités de la collaboration humano-divine, seule possibilité offerte aux hommes d'orienter et de parfaire leur destin.

Chaque être, chaque chose sont un aspect de Dieu.

CHAPITRE PREMIER

QU'EST-CE QUE DIEU?

CE QUE DIEU N'EST PAS

Avant même d'envisager une définition de ce que Dieu peut être il est bon de montrer, une fois encore, ce qu'il ne peut être et ce qu'il n'est pas.

Dieu n'est aucunement anthropomorphe, c'est-à-dire qu'il ne saurait d'aucune façon ressembler à l'Homme, du moins dans la représentation extérieure de celui-ci. Dieu n'est donc pas plus le vieillard de Michel-Ange qu'il n'est le chef d'armées de la Bible. Il n'a aucune des passions d'homme et ne saurait être colère ou jaloux.

Dieu n'est soumis à aucun des instincts humains, à aucune de nos réactions mineures. Il échappe à nos contingences, à nos petitesses, à nos incompréhensions.

En effet, Dieu n'est pas un être mais l'Être, pas un vivant mais la Vie. Nous en faisons intégralement partie par le fait même que nous existons. Toutefois il ne suffit pas d'exister, ce qui est à la portée du caillou comme de l'animal; le plus important est de vivre, c'est-à-dire d'exister consciemment.

Dieu n'est pas non plus tout-puissant, au sens ridicule que lui donnent les religions et les philosophies, car s'il l'était nous serions parfaits et sa création serait parfaite aussi.

Dieu est bien plus et bien mieux que cela, *car l'omnipotence est une mesure d'homme*. Il est sans cesse en marche vers la perfection.

Ainsi se vérifie l'idée du Dieu évoluant en esprit et faisant du même coup évoluer les formes, de manière que jamais rien ne vienne interrompre l'ascension grandiose de Dieu, de l'Humanité, de l'Univers.

DIEU SE VIT

Qu'est donc Dieu finalement? Hé! Que nous importe! À quoi nous servirait-il d'en ramener l'hypothèse aux proportions d'une construction cérébrale, si ce n'est à l'avilir?

Dieu, a-t-on dit, ne se démontre pas, il se vit. Préparons-nous donc à vivre une vie divine et par là nous échapperons aux misères humaines qui sont le dénuement, la maladie et la mort. Non que l'organisme humain puisse encore s'en délivrer physiquement en raison de la médiocrité de nos armes corporelles et morales, mais parce qu'il y a une manière d'envisager la mort comme la vie, l'échec comme la réussite, le mal comme le bien. À cet effet, nous disposons de deux instruments incomparables, qui sont la faculté d'adaptation et celle d'interprétation.

Nous reviendrons spécialement sur ce point car nos possibilités d'adaptation sont une des clés de la vie physique et nos possibilités interprétatives sont une des clés de la vie de l'esprit.

LA DIVINITÉ ACCESSIBLE DU PÈRE

On a tellement pris l'habitude d'un Dieu universel et d'une Providence générale que la plupart des hommes jugent ces entités inaccessibles et hors de leurs moyens d'attachement. «Comment, disent les malheureux, les faibles, les aigris, les sceptiques, les malades, prétendrais-je exciter l'intérêt du Dieu qui gouverne les mondes et fait mouvoir les rouages démesurés de l'Univers? Autant me demander de m'intéresser moi-même à l'existence d'un puceron ou, mieux, à celle d'une de mes cellules. Le Dieu qui m'est proposé est à la fois trop loin et trop grand.»

C'est pourquoi la notion du Dieu Absolu passe par-dessus la tête de toutes les créatures, qui n'ont que faire pratiquement de son omnipotence et de sa perfection. Jésus l'avait bien vu quand, délaissant l'Éternel de la Genèse, il proposa la divinité accessible du Père, celui à qui on parle seul et en secret. C'était la première figuration du Dieu individuel que tout homme est capable d'atteindre en lui-même car nul ne saurait approcher Dieu qu'à travers soi et en soi.

CHAQUE HOMME A DIEU INDIVIDUELLEMENT EN LUI

Nous sommes des tabernacles conscients ou inconscients du Divin et pas un homme ne peut se soustraire au rôle volontaire ou involotaire de custode divine. Tous, l'admettant ou non, nous avons Dieu individuel en nous. L'athée qui lirait ces mots rirait bien à l'idée qu'il est, malgré lui, un temple et pourtant, niât-il Dieu éperdûment, il n'a pas le pouvoir d'être autre chose, même s'il n'y a pas de lumière sur son autel. La négation de Dieu est la reconnaissance implicite de Dieu car on ne dénie pas l'existence à ce qui n'est pas et le blasphème, bien loin d'écarter Dieu, l'authentifie.

IL N'Y A PAS D'ATHÉISME VRAI

L'athéisme est le contrepoids indispensable du sentiment religieux parce qu'il empêche celui-ci de s'affadir. On peut dire de lui qu'il constitue la scorie de la croyance puisque si la foi de l'homme était entière le doute n'existerait point. L'athéisme a une valeur de décantation; il contraint les religions à une ardeur renaissante et sa perpétuelle menace les oblige à se purifier. D'ailleurs l'athéisme authentique n'existe pas. Ou bien il est un masque, une cuirasse, ou bien une insatisfaction. Combien ne se passent de Dieu que faute de le sentir à leur portée! En réalité il n'existe pas un homme sur terre qui ne se retourne malgré lui vers le Père invisible dans la détresse, la souffrance, la maladie et aux approches de la mort.

Le pire égoïste et le pire criminel ont besoin de recourir à la Force tutélaire qui dépasse les contingences humaines et représente l'aide d'en-haut. Encore faut-il que ce qui leur est proposé puisse être accepté par eux sans révolte de leur conscience.

C'est la représentation de ce Dieu souverainement bon, éperdu d'amour pour les hommes et dont le rire éternel a été méconnu pendant tant de siècles, que nous nous proposons de montrer à ceux qui peinent, qui souffrent, qui vivent et ont tant besoin d'être aimés.

PARABOLE DE L'ATHÉE

Il y avait un homme qui ne croyait pas en Dieu parce qu'il était entièrement soumis à sa raison et ne se préoccupait que de choses matérielles. Un seul amour lui tenait au coeur, celui de son petit enfant. Or celui-ci tomba malade et les médecins appelés à son chevet ne surent que dire. Le moins pitoyable d'entre eux fit comprendre au père que la fin était proche car nulle intervention humaine ne pouvait sauver son fils.

Le malheureux homme s'adressa aux sommités médicales les plus fameuses mais leur verdict ne put que confirmer celui des confrères plus obscurs. Au coeur de l'angoisse l'athée sentit fléchir son matérialisme. Tandis qu'il était seul dans sa chambre il leva le front vers le ciel.

— S'il est vrai que Dieu existe, s'écria-t-il, je le supplie de m'entendre et de faire que mon enfant ne meure pas.

Tant il est vrai qu'aucune résolution logique de l'esprit ne tient devant le malheur quand il entre et met tous les hommes dans la même posture de soumission.

Alors que le père était encore à genoux, la porte s'ouvrit et une voisine lui dit:

— Ne tenterez-vous pas de soulager l'enfant par la prière?

— Je ne sais pas prier, dit l'homme.

— Mais moi je connais un cordonnier qui impose les mains.

— Au point où j'en suis, fit le misérable en haussant les épaules, il n'importe. Je suis prêt à tout tenter.

Le cordonnier vint. Il prit la main du petit malade. Le délire céda peu à peu, puis la fièvre et finalement l'enfant s'endormit. Le lendemain, il n'y avait plus trace de mal et l'enfant jouait sur sa couche.

Par la suite, quand on parlait au père de ce miracle, il répondait:

— Nul miracle en cela. Dans ma détresse j'ai appelé Dieu pour qu'il accoure à mon aide. Or c'est un cordonnier qui est venu.

Chacun doit faire sa provision personnelle de paix.

CHAPITRE II

LA VOCATION DU BONHEUR

L'OBLIGATION D'ÊTRE HEUREUX

Le premier et le plus impérieux devoir de l'Homme est d'être heureux.

Car le bonheur est la souveraine harmonie.

Et nul ne saurait contribuer à l'harmonie universelle s'il n'est pas heureux.

Tant qu'un être de la création est malheureux l'harmonie du monde ne peut être sans tache. Et comme tous sont solidaires le devoir strict de chacun est de rendre les autres heureux.

Mais comment celui qui n'est pas lui-même heureux communiquerait-il aux autres ce qu'il n'a pas et leur donnerait-il ce qui lui manque? Il est donc indispensable que tous les hommes se préoccupent de leur bonheur propre afin de réaliser le bonheur d'autrui.

C'est pourquoi on a pu légitimement dire que le bonheur est une vocation, c'est-à-dire un appel des plus hautes instances de la conscience en vue d'obtenir, dès ici-bas, la réussite la plus parfaite de la vie jusque dans ses ultimes épanouissements.

Cela était apparu dès l'antiquité aux plus clairvoyants d'entre les hommes et déjà, chez les Anciens, deux doctrines opposées s'affrontaient dont l'une sculptait la Joie et l'autre la Douleur. La première a été dénaturée par les commentateurs et l'on a faussement assimilé la recherche du bonheur à celle du plaisir, ce qui en adultère l'essence, car le bonheur n'est pas davantage le plaisir que le plaisir n'est le bonheur. Quant à la seconde, nous verrons pourquoi le culte de la douleur n'est aucunement souhaitable et ceci rappelle le grand mot de sainte Thérèse: «Il n'y a aucun profit à méditer sur l'enfer.»

IL N'Y A PAS D'OPPOSITION ENTRE LE DEVOIR ET LE BONHEUR

Les religions de salut ont constamment opposé le devoir et le bonheur alors que l'un fait partie de l'autre. Devoir et bonheur se confondent de manière à ne former qu'une expression de la conscience et un unique état de vie, le plus exaltant et le plus parfait.

On verra plus loin comment l'art de vivre divinement consiste à goûter le bonheur dans son devoir et à considérer comme une obligation le devoir d'extérioriser comme d'intérioriser son bonheur.

Bien loin d'être un égoïsme, le bonheur conscient et délibéré représente l'association la plus efficace avec ce que le Divin nous offre. Mais pour cela il est indispensable de substituer à la notion archaïque d'un Dieu irrité celle d'un Dieu qui rit dans les cieux. C'est pourtant ce blasphème théologique de la colère de Dieu qui sert de base à la plupart des confessions. Le péché et le rachat qu'il nécessite sont les assises terrifiantes d'innombrables existences humaines, vouées irrémédiablement à la peur.

La peur de Dieu est le plus grand sacrilège que l'Homme puisse commettre à l'égard de la Divinité bienveillante, bienfaisante et bien aimante sans cesse amoureusement penchée sur nous. Calvinisme et jansénisme poussèrent si loin cette aberration que, partis de voies opposées, ils se rencontrèrent pour avilir de la sorte l'image ineffable de Dieu.

DIEU A ÉTÉ CALOMNIÉ

Il résulte de tout cela que Dieu a grand besoin d'être réhabilité devant les hommes parce que, depuis deux mille ans, on leur offre une caricature de lui.

Mais, comme il a été dit ailleurs, la réhabilitation de Dieu suppose préalablement la réhabilitation de l'Homme, qui n'est ni l'être vil ni la créature tombée qu'on s'acharne à dépeindre depuis le Christ.

L'Homme est sorti des mains du Créateur, faible, ignorant, candide. Parti du rang des bêtes, il s'est, peu à peu, hissé à un étage spirituel. Il lui a fallu pour cela lutter, en dépit de sa nudité physique et de sa débilité morale, contre une animalité puissante et les obstacles naturels. Chétif comme il était au début, il a développé l'intelligence qu'il tenait du Démiurge et pour quoi celui-ci l'avait spécialement choisi. L'Homme est donc une créature de prédilection en qui, selon le mot évangélique du Jourdain, Dieu a «mis toutes ses complaisances». Comment Dieu s'irriterait-il des imperfections de sa création imparfaite puisqu'il évolue lui-même en faisant évoluer?

Il est, par conséquent, indispensable pour l'homme spirituel de ce temps, de s'affranchir totalement des idées de chute, de rachat, de salut qui, toutes, reposent sur la négation de la volonté divine, laquelle est d'acheminer le monde terrestre, et l'Homme en tête, vers une toujours plus grande perfection.

DÉBARRASSEZ-VOUS DE LA NOTION DU PÉCHÉ

La notion de péché doit être absolument rejetée de l'existence humaine qu'elle intoxique et dénature et l'on y doit substituer la seule notion d'erreur. Le péché est débilitant, honteux; l'erreur est excusable et réparable. La chute morale est la conséquence d'une erreur, autant que la chute physique. On ne se sent pas avili parce qu'on est tombé dans le fossé. Mais le devoir physique et spirituel de l'Homme est de sortir du fossé, donc, après être tombé, de se relever, de dresser à nouveau la tête et de relever sa face vers le ciel dont il est issu.

Malheureux l'homme et la femme demeurant courbés sous le poids de péchés imaginaires et qui, se croyant à la merci d'un Dieu fustigateur et autoritaire, mènent une existence d'alarme sous la menace de châtiments éternels!

Comme si l'idée même de châtiment n'était pas inconciliable avec celle d'amour dont Dieu est la figuration suprême!

Comme si Dieu-Force punissait l'Homme-Faiblesse de ce qu'il l'avait lancé fragile au coeur des maladies, des bêtes et des événements!

LE BONHEUR EST UN ÉTAT ACTIF

Il faut être sectaire ou naïf — et bien souvent les deux vont ensemble — pour s'imaginer que le bonheur est un état passif de la créature et qu'il est aisé de se procurer.

Rien n'est plus difficile que la conquête du bonheur. Mais *le bonheur commence déjà à partir du moment où on le recherche*. C'est l'entreprise la plus absorbante et la plus laborieuse qui puisse être proposée à l'être humain. Il faut être à la fois actif et intelligent, prodigue et désintéressé pour prétendre au bonheur. Le malheur est généralement fait de paresse, de veulerie, d'incompréhension, de lâcheté, d'ignorance. À un degré quelconque on est toujours responsable de son malheur. Mais on est aussi toujours responsable de son bonheur, autrement dit on le doit à soi et nul autre que nous n'est capable d'installer ce bonheur en nous-même. Rien ne peut survenir pour nous qu'en nous et à travers nous.

Tous les moyens nous sont donnés d'être heureux ou malheureux comme aussi de rendre heureux ou malheureux nos compagnons de route. En vain nous tenterions de rejeter sur Dieu, sur la Nature, sur les autres êtres ce qui nous arrive ou arrive à cause de nous.

Précisément parce que nous avons la liberté de l'esprit nous ne pouvons nous soustraire aux conséquences directes de nos pensées et de nos actes. Et c'est par là que nous sommes confrontés sans cesse avec nos vérités et nos erreurs.

Seulement, pour être heureux et partager notre bonheur avec le reste du monde, au moins faut-il que, de propos délibéré, nous y consentions. Sans ce consentement le mécanisme du bonheur ne peut se mettre en marche. Notre adhésion est le ressort capital par quoi le balancier démarre et scande la joie ou les pleurs.

Ne croyez pas surtout — ainsi que tant d'hommes ont tendance à le craindre — que Dieu soit jaloux du bonheur de l'Homme et que l'Homme trop heureux soit une cible offerte au destin. Bien loin de là, Dieu ne veut que notre bonheur et nous supplie de l'admettre en tiers dans notre félicité et notre joie parce qu'il est lui-même la Joie suprême et la suprême Félicité.

CONDAMNATION DE L'ASCÈSE

Ce qui vient d'être dit est la condamnation de l'ascèse. Pour quelques saints ou héros qui ont réussi leur expérience spirituelle combien d'ascètes ont sombré dans l'abîme intérieur! L'évolution morale de l'Homme n'est justiciable ni du cilice, ni de la discipline, ni du jeûne, ni des privations corporelles; pas davantage d'une souffrance morale entretenue et du déchirement sentimental. Saint Siméon stylite est incompatible avec l'époque moderne. Nul n'a le droit de se retrancher de la mêlée sociale pour vivre juché sur une colonne ou pour se retirer définitivement dans le désert. Jésus ne recherchait l'isolement que pour prier et se recueillir puis il revenait parmi la foule et livrait à celle-ci, par l'exemple et la parabole, le fruit de ses méditations.

ACCÉLÉRATION DU TORRENT ÉVOLUTIF

On aurait tort de croire que le bouleversement de l'âge actuel est contraire aux vues souveraines de Dieu dont l'intelligence oriente le monde. Tout ce que nous enregistrons de neuf, d'inhabituel, de surprenant dans la vie scientifique, économique, industrielle, politique et sociale de notre temps est le résultat flagrant d'une évolution délibérée qui se précipite parce que l'heure de la réalisation a sonné. Que cette précipitation soit par instants inquiétante et même douloureuse pour beaucoup, cela ne fait que prouver combien peu nombreux sont les hommes adaptés à leur époque et dignes de la comprendre. L'âme de trop de gens est demeurée à l'âge des diligences quand les voyages interplanétaires s'amorcent à l'horizon.

La vérité est que l'Humanité a dormi pendant plusieurs millénaires et qu'elle est encore en demi-sommeil. Les trompettes fulgurantes d'aujourd'hui sonnent le réveil de demain et chacun devra s'adapter à l'Évolution sans cesse grandissante. Il faut marcher avec elle ou rester sur place et périr.

C'est ce courage de suivre l'événement et de l'interpréter selon les vues universelles qui représente la véritable ascèse, la seule efficace et profitable parce qu'elle est dans l'ordre des temps. La mortification corporelle, aussi haute qu'en paraisse l'intention, est une gymnastique périmée, un refoulement désuet. De ce refus d'association avec les formes nouvelles de la vie peut naître un malentendu tragique entre la créature et le Créateur.

Quand Dieu pourvut l'être humain d'un organisme merveilleusement complexe tout fut prévu pour l'amélioration de la race et l'évolution de l'individu. Aucun organe n'a été jugé de trop, nulle fonction n'a été estimée inférieure ou basse. Seuls, des hommes ont assigné, en tout arbitraire, une destination noble ou vile à tels de leurs attributs. En réalité rien de notre organisation physique n'est vil ni noble aux yeux de Dieu. Lui, qui les fit, les juge également utiles et respectables. L'Homme a été créé pour user de tout avec modération et sagesse et il est aussi contraire à la Loi d'abolir le fonctionnement d'un organe que d'en faire abus.

LE BONHEUR EST DE L'AMOUR

L'adhésion au bonheur, sans laquelle aucun bonheur ne peut être, implique l'acceptation totale et intégrale des conditions d'existence dans lesquelles nous nous trouvons placés. Cette adhésion ne doit pas être partielle ni réticente, dolente ni résignée, mais, dès l'abord, ardente et enthousiaste, quel que soit l'âge auquel on en comprend la nécessité.

Il y a en chacun de nous d'immenses réserves de joie et d'enthousiasme. Elles sont le ferment de l'âme et leur action se répercute également sur le corps.

Le bonheur est de l'Amour, aussi infailliblement que l'Amour est du bonheur parce qu'ils se conditionnent l'un l'autre et qu'à la vérité celui qui met en oeuvre les ressources de la nouvelle Vie n'arrive plus à faire la différence entre le bonheur et l'Amour.

PARABOLE DU FILS DU ROI

Une vieille légende asiatique prétend que le fils d'un roi, lassé par les gens de la cour et le luxe de son père, avait résolu de voyager incognito dans le royaume pour s'enquérir de la recette du bonheur.

Celui-ci ne lui paraissait être ni dans une situation élevée ni dans la fortune ni dans les plaisirs. Il s'adressa donc anonymement à toutes sortes de gens dans toutes sortes de villes et de villages, demandant aux uns et aux autres de lui indiquer un homme heureux. Mais personne n'avait le signalement de l'homme heureux jusqu'au jour où le prince rencontra un vieil ermite qui lui donna cette indication précieuse en matière de bonheur.

— Si, dit-il, tu rencontres un jour un homme parfaitement content de lui et des autres, il te suffira d'endosser sa chemise pour être parfaitement heureux à ton tour.

Le fils du roi n'était pas beaucoup plus avancé et il reprit sa course errante. On le dirigea successivement vers celui-ci ou celui-là, qui jouissait de la réputation d'être comblé par le Destin et fortuné dans ses entreprises. Mais le prince, en poussant à fond son enquête, s'aperçut très vite que ces gens n'avaient que la carapace du bonheur. C'en était assez pour imposer à la multitude une idée fausse. En réalité le père de famille nombreuse déplorait en lui-même sa progéniture chez laquelle il ne trouvait qu'ingratitude et que déchiraient les divisions. Les parents sans enfants regrettaient amèrement de n'en point avoir et jugeaient leur existence gâchée parce que solitaire. Le capitaine de navire enviait l'armateur qui était riche et l'armateur enviait le marin qui est libre sur les mers.

Le prince fit aussi la connaissance de philosophes qui enseignaient le bonheur, bien que celui-ci leur échappât, de saints, qui ne l'attendaient que dans une autre vie, de libertins, qui donnaient l'image du plaisir mais songeaient chaque jour à se suicider, de négociants opulents dont le fisc empoisonnait les insomnies, de maris enviés qui soupçonnaient en secret leur femme, de femmes vertueuses qui soupiraient après l'inconnu.

Il y avait des mois et des années que le fils du roi parcourait ses terres sans rencontrer autre chose que le mensonge du bonheur. Partout ce n'était que fantômes et mirages qui se dissipaient à mesure qu'on s'en approchait.

Le prince finit par aboutir, au fond des bois, à une cabane faite de terre et de branches devant laquelle chantait un homme en tressant une corbeille d'osier. Le tableau était si lumineux que le fils du roi en eut un choc au coeur. Il s'avança et dit:

— Tu es donc heureux puisque tu chantes?

L'homme répondit en riant:

— C'est vrai. Je suis totalement heureux.

Et c'est alors seulement que le fils du roi s'aperçut que l'homme heureux n'avait pas de chemise.

Il comprit par là que le bonheur réside dans le dépouillement et la nudité.

Que votre rire fasse écho au rire de Dieu.

CHAPITRE III

UN NOUVEAU SYSTÈME DE VIE

LE SOURIRE DE DIEU

Vous qui ne connaissez pas le bonheur d'exister et, moins encore, la joie de vivre, l'un passif, l'autre active et toutes deux se complétant et s'harmonisant, il vous est proposé ici non pas une nouvelle philosophie mais, ce qui est infiniment plus précieux, un nouveau système de vie absolument différent de ceux qui vous ont été jusqu'à présent enseignés.

Dieu vous avait été montré comme un juge austère, dont la clémence intermittente ne s'exerçait que de loin en loin. Tour à tour vous menaçant d'un éternel enfer ou vous promettant une éternité de délices, il exigeait en contrepartie votre abaissement perpétuel. La «crainte du Seigneur» l'environnait d'un tremblant hommage et ses fidèles osaient à peine lever leur front vers lui. Or Dieu, bien loin d'être le parâtre des confessions, est la représentation la plus parfaite du Père ineffable, capable de tout comprendre et de tout aimer. Lui seul sait de quelle dilection il peut envelopper le plus abject et le plus vil des hommes, son amour croissant avec l'égarement de ses créatures et se mesurant au besoin qu'elles ont de lui. Dieu sourit éternellement et son divin sourire est la Vie, sans cesse répartie entre tous les êtres et les conduisant vers leur but. Tout ce qui est beau en nous et autour de nous constitue le sourire de Dieu: l'aurore dans le ciel, le chant des oiseaux, la joie des enfants, la douceur d'une présence amie, l'élan d'un artiste, le lyrisme d'un poète, les musiques du dehors et du dedans. Tout ce qui chante, mûrit au soleil de la Nature, tout ce qui aime, espère et remercie dans le coeur de l'Homme est le sourire de Dieu.

LE VRAI ET LE FAUX

La religion vous avait été enseignée comme une perpétuelle contrainte, une soumission aveugle aux dogmes, un assujettissement servile aux rites, un réseau serré de chaînes et de liens. Alors que le sentiment religieux est une libération des obligations matérielles, un épanouissement de l'âme hors des exigences de la chair.

La morale vous avait été montrée comme une nécessité larmoyante, une allégorie rechignée, une éthique sans douceur. Comment l'Homme aurait-il d'inclination vers la négation continuelle des meilleures choses, le reproche incessant de ses loisirs? Et pourtant la seule vraie morale est celle qui attire par douceur et persuasion.

Le devoir vous avait été enseigné comme une écharde nécessaire, une frustration inévitable, un sacrifice et une rançon, tandis que si l'on comprend le sourire de Dieu, le devoir a un autre visage, celui de la tâche accomplie avec joie, de la privation subie avec allégresse, du labeur accompli pour lui autant que pour soi.

La vertu vous avait été montrée sous les traits d'une vieille et anguleuse fille, aigrie par le célibat et le bonheur d'autrui. Les théologiens et les philosophes se sont acharnés à défigurer la vertu, à lui donner un masque rigide, de manière à en écarter les hommes sous prétexte de les retenir. Comment aimeriez-vous la vertu si la vertu ne vous semble pas aimable? Comment détesteriez-vous le vice s'il vous est peint sous de brillantes couleurs?

La vertu de Dieu est éblouissante et radieuse. Nous allons vers elle comme à une fête. Elle embaume comme un reposoir. La vertu de Dieu est nécessairement joyeuse. Son rire est pur et cristallin; le ricanement du vice est amer.

On aurait voulu détourner les hommes de la vertu qu'on ne lui aurait pas donné d'autre apparence que celle sous laquelle la recommandent la plupart des religions. Mais, à mesure que la véritable identité de Dieu s'impose à nous, que nous nous faisons de lui une autre image, la Vie change aussi de face et là où nous étions malheureux et désespérés nous entrevoyons le bonheur.

VOTRE VIE EST LE MIROIR DE VOTRE ÂME

Ne vous répétez donc pas que la Terre est un lieu d'épreuves, une vallée de larmes, un état provisoire et une condition précaire où il ne faut pas s'attarder mais d'où il faut au plus vite sortir. Tout ceci a fait trop de mal en offrant aux hommes une caricature de la Vie devant laquelle ils ne savent que se plaindre et gémir. Des centaines de millions d'êtres humains se trouvent malheureux par suite de cette méconnaissance de la Vie alors que des milliers seulement lui font bon visage et recueillent ses bienfaits en retour.

Qu'est, au fond, la Vie, votre vie, sinon le miroir même de votre âme dans lequel vous ne pouvez voir que ce que vous lui présentez? Pleurez et pour vous la Vie pleurera. Riez et pour vous la Vie deviendra un rire.

Les progrès de la civilisation ont eu pour résultat essentiel d'enseigner l'hygiène corporelle et il est hors de doute que c'est à ce souci d'hygiène et à sa pratique que l'Humanité doit la quasi-disparition des grandes épidémies et l'évolution physique des individus. Mais rien n'a été fait pour enseigner aux hommes l'hygiène morale, tellement plus importante encore, parce qu'un esprit triste et malade ne saurait habiter un corps joyeux et sain. Au contraire, cette même civilisation a accumulé toutes les sanies spirituelles, en tête desquelles est l'ennemi N° 1 de notre espèce: la gluante et hideuse peur. Presse, cinéma, radio, etc., contribuent chaque jour à cette malpropreté morale dont bien peu d'auditeurs ou de lecteurs savent se laver.

Il faut cependant bien vous dire que la Vie de l'Humanité n'est pas seulement faite de l'assassinat le plus parfait, du plus beau crime passionnel, de la plus magistrale inondation, de la plus prodigieuse éruption, de la plus réussie des explosions atomiques. Il ne se passe pas plus d'événement fâcheux au XXe siècle qu'au début de notre ère mais ceux-ci sont amoureusement triés, colligés, mis en évidence de manière qu'à toute heure chaque citoyen du monde en ait sa déprimante part. Il a fallu, pour vous donner cette fausse vision, cette idée truquée et déformée de la vie sociale que des milliers de reporters, de photographes, d'informateurs, de rédacteurs, de metteurs en ondes soient en chasse dans les cinq continents. Lorsque la récolte de laideurs et d'horreurs est trop faible, ce qui arrive, même sur la surface entière du globe, on n'hésite pas à fabriquer l'incident ou l'accident nécessaires à la mise en page et à la soif morbide du public.

Durant ce temps, des milliards de beautés et de bontés, d'événements fastes et heureux se sont produits dans tous les pays du monde. Des foules innombrables ont vécu avec satisfaction et intérêt leur existence de chaque instant. Des gens de toutes sortes et de toutes couleurs ont chanté, joué, aimé, ri sans que les presses et les micros s'en avisent. *La Terre entière est heureuse et elle ne le sait pas.*

LA CONDUITE DE LA VIE S'APPREND COMME LA CONDUITE D'UNE AUTO

Vous subissez le mal consciemment et vous acceptez le bien inconsciemment. D'où la nécessité de vous réformer et d'adopter l'attitude contraire, c'est-à-dire de subir le mal inconsciemment et d'accepter le bien consciemment. Tout est, en effet, régi par votre conscience et les faits, comme les êtres, ne peuvent être pour vous que selon la conscience que vous en avez. Or vous êtes toujours libre, à tout moment, de changer votre conscience des hommes et des choses. C'est ainsi qu'au lieu de l'endurer, comme la plupart des hommes, vous conduirez l'événement.

La conduite de la vie s'apprend comme la conduite d'une auto. Le principe essentiel repose sur l'utilisation intelligente de l'accélérateur et du frein. L'un propulse; l'autre arrête. L'un active; l'autre modère. On ne peut pas plus se passer de l'un que de l'autre. Mais n'oubliez pas que ce qui fait marcher l'automobile c'est l'accélérateur et non le frein.

Jusqu'à présent, philosophie et religions vous ont surtout appris l'usage du frein, autrement dit de la rétention, de la contention sous forme d'obligations, de rites, de préceptes dont la valeur est généralement négative et qui ne peuvent mener qu'à un état passif. Elles se sont fort peu préoccupées de l'accélération, considérée par elles comme une manoeuvre dangereuse, propre à encourager les initiatives comme à diminuer l'obéissance et la soumission.

Tout se passe comme si l'on voulait tuer le désir dans le coeur de l'Homme alors que le désir est le carburant de la Vie sans lequel tout est immobilité.

Cependant le désir est à l'origine de toutes les manifestations vitales. Nul n'entretiendrait normalement son organisme s'il n'avait le désir de boire et de manger. Le végétal, comme l'animal, bien qu'à un moindre degré ou plutôt sur un autre rythme, éprouvent des sollicitations instinctives qui portent la vigne à s'accrocher au moyen de ses vrilles, l'arbre à monter vers la nue, la fleur à se tourner vers le soleil. Le métal lui-même est attiré par le magnétisme et l'aimantation n'est pas autre chose qu'un désir de la matière vers un autre état. Toute combinaison chimique procède des mêmes lois et le phénomène de catalyse représente un élan des particules vers un devenir mystérieux.

SERVEZ-VOUS DES ARMES QUE DIEU A MISES À VOTRE DISPOSITION

Il faut bien vous persuader que vos désirs sont les moteurs indispensables de la Vie et que rien ne ressemble moins à un homme que le malheureux qui est sans désirs.

Plus ceux-ci sont fougueux et véhéments, plus ce supercarburant permet de réalisations vitales, à la condition toutefois d'en faire usage avec discernement. À qui l'idée viendrait-elle de se servir de l'essence de son moteur pour écraser les gens sur la route ou de jeter sa voiture contre un mur?

Le désir est aussi comme le feu dont la manipulation prudente rend celui-ci propre à tous usages. Enfermé dans un corset de métal, le feu chauffe votre demeure ou cuit vos aliments. Savamment conduit, il amollit le fer, le lamine et le forge. Livré à lui-même et laissé sans surveillance, il incendie la forêt ou la maison. Condamnerons-nous le feu pour cela? Non, mais l'abus ou l'incurie. Il n'en est pas autrement de ce feu instinctif qu'est le désir. Si nous pouvions nous passer du désir le Créateur ne nous aurait pas dotés de ce moyen d'expression et de démonstration vital. Nous serions comme des cailloux inertes et sans apparence d'activité. Mais précisément, l'évolution générale des choses et des êtres a fait passer la chose créée d'un état à l'autre par accroissement des désirs. La plante a plus de désirs que la pierre, la bête plus de désirs que la plante, l'Homme plus de désirs que la bête et il existe certainement, au delà et au-dessus de l'Homme, un étage supérieur à celui de la matière organique et qui est le monde du pur désir.

Sachez donc vous servir de toutes les armes que Dieu a mises à votre disposition sans en négliger aucune: marchez sans abuser de vos forces, jouez sans remords ni tricherie, mangez sans aller jusqu'à l'indigestion. Faites de vos désirs des serviteurs et non des maîtres. Utilisez-les comme des outils de choix. Ne leur permettez pas de diriger votre besogne mais imposez-leur les tâches pour lesquelles ils sont faits et ménagez-leur les activités qui les développent. Toutes les grandes réalisations humaines sont le fait de désirs habilement conduits.

LE PLAISIR DU DEVOIR N'A RIEN DE COMMUN AVEC LE DEVOIR DU PLAISIR

Ne laissez point un de vos désirs prendre exagérément le pas sur les autres, de peur qu'ayant dominé le reste il n'arrive à vous dominer. Efforcez-vous encore moins de maîtriser un désir par la force en lui interdisant sa possibilité d'expression. Tout désir brutalement refoulé engendre un complexe de résistance qui va toujours se renforçant et dont la soumission provisoire conditionne la future explosion.

À celui qui s'impose, contre son tempérament, une chasteté absolue dès le début de l'âge adulte il faudrait peut-être encore préférer celui, qui, dès l'abord, a lâché la bride à ses désirs. Le premier s'expose, au cours de son âge mûr, à de violents retours de flamme et nombreux sont les continents qui payèrent tribut au démon de midi. Le second avec l'aide d'en-haut, peut faire un saint Paul, après avoir été un Saul de Tarse, ou un saint Augustin, ou un Père de Foucault.

Souvenez-vous que Dieu est sans action sur les tièdes et que la foudre même est désarmée contre la banquise. Là où il n'y a rien, dit le proverbe, le roi perd ses droits. Celui qui est sans désir est aussi sans électricité vitale. Son fluide retourne à la masse. L'Évolution ne peut rien pour lui.

L'obligation d'être heureux s'impose donc impérieusement à tous les hommes et à chacun d'eux en particulier.

Le bonheur individuel est indispensable au bonheur général car le feu ne saurait être obtenu avec des particules de glace. Mais, comprenons-nous bien, il ne s'agit nullement de préconiser le devoir du plaisir. Au contraire, ce qui vous est enseigné c'est d'éprouver le plaisir du devoir par quoi toutes choses sont magnifiées et embellies.

PARABOLE DES DEUX FRÈRES

Dans un certain pays vivaient deux frères dont l'apparence corporelle semblait la même mais qui étaient en opposition complète de caractère et d'expression.

L'aîné était de nature aimable, cordiale et se montrait toujours content. Le cadet était naturellement grincheux, bougon et d'un abord désagréable. Cela datait de leur enfance, s'était accentué pendant leur jeunesse et n'avait fait que se fortifier dans l'âge mûr.

Tous deux étaient associés pour le même commerce. Et il était heureux que Jean, le premier-né, attirât les clients par ses manières sympathiques car Jacques, le dernier venu, les mettait en fuite quand il était seul.

Pour Jean tous les marchés étaient bons, toutes les ventes avantageuses et il est hors de doute qu'il s'entendait à faire prospérer ses affaires, bien qu'il vendît à petit bénéfice, tellement les concours lui venaient de toutes parts. Pour Jacques, le commerce était une odieuse occupation et il se soustrayait le plus souvent possible à une profession qu'il avait prise en grippe comme tout ce qui la lui rappelait. Nécessairement il ne savait pas acheter, de même qu'il ne savait pas vendre. Il en concevait du dépit contre lui-même, contre son associé et contre les acquéreurs.

Jean ne pratiquait expressément aucune confession, bien qu'il eût du respect pour toutes, mais c'était un esprit religieux et profondément orienté vers le bien. Il manifestait la plus grande compréhension pour les idées des autres et il ne lui serait jamais venu à l'idée d'imposer ses vues à son prochain.

Jacques était dévot et intolérant. Son besoin de prosélytisme se muait aisément en sectarisme. Il excommuniait et anathématisait non seulement ceux qu'il estimait être impies mais aussi les fidèles des autres religions.

Jean vivait largement quoique frugalement car il n'aimait ni les vins ni les viandes. Mais il tirait parti des fruits et des légumes d'un jardin qu'il cultivait lui-même dès qu'il avait des loisirs. Ce n'est pas que son négoce, qui le tenait tout le jour, lui apparût comme une contrainte. Nullement. Il éprouvait autant de joie à quitter la culture pour s'y remettre qu'il en éprouvait à laisser son commerce pour travailler au jardin.

Jacques vivait beaucoup plus dispendieusement. Il était exigeant dans le choix des mets, critiquait leur cuisson, leur fraîcheur, leur assaisonnement et imputait à son entourage l'ennui de digestions difficiles. En revanche il observait rigoureusement l'abstinence du vendredi, les jours de jeûne, le repos hebdomadaire et tout ce que la lettre prescrivait.

Jean avait une femme aussi avenante que lui et des enfants de même sorte. L'entente était toujours parfaite entre les membres de cette famille parce que tout le monde s'y trouvait heureux.

La femme de Jacques était beaucoup plus belle physiquement que sa belle-soeur mais de nature acariâtre. Peut-être fût-elle devenue agréable si elle avait été la femme de Jean. Les enfants étaient insolents, revendicateurs parce qu'ils étaient témoins des querelles du ménage.

Jean déclarait la vie bien faite et, comme il souriait à la vie, la vie lui souriait.

Jacques estimait que la vie est une longue punition, que c'est pour souffrir qu'on est sur terre.

Jean pensait que le paradis peut être réalisé dès ce monde pourvu qu'on le porte en soi.

Jacques n'attendait le paradis qu'à la fin de ses jours, après un long temps de purgatoire et non sans redouter les flammes de l'enfer.

Jean remerciait tout le jour.

Jacques se plaignait à chaque heure.

L'un cultivait le bonheur, l'autre le malheur. Ils obtinrent ce qu'ils cherchaient tous les deux.

En amour ce sont les prodigues qui ont raison et les épargnants qui ont tort.

CHAPITRE IV

LE CHRIST DE NOTRE TEMPS

LE PAIN DE VIE

Selon la parole d'un grand auteur ignoré de la foule, ce qui vous est enseigné dans ces pages n'est pas autre chose que «le secret d'entrer vivant dans le Royaume de Dieu».

On verra plus loin comment le Christ Jésus, qui fut sur terre la plus haute manifestation de l'Homme, comprenait la mission et le comportement de celui-ci. C'est par une fausse et attristante interprétation de son enseignement comme de son exemple que le christianisme a élaboré une théologie desséchante et une doctrine de rigueur. Si Jésus revenait parmi les siens il ne se reconnaîtrait pas dans la tristesse de ses églises, lui qui apportait aux hommes de bonne volonté la paix, l'amour et la douceur.

Bien loin d'être un laudateur de la mort, il se disait le pain de vie, c'est-à-dire la preuve vivante que l'Homme peut connaître le bonheur.

Quand les textes des quatre évangélistes furent triés, au IIIe siècle de notre ère, parmi des centaines de versions orales, l'armature de l'Église s'était déjà ossifiée. À la souple articulation verbale de Jésus on avait substitué un système écrit de contrainte et d'obligation. C'est une des raisons pour lesquelles l'emblème du christianisme devint le crucifix, c'est-à-dire la glorification de la mort ignominieuse alors que seul le symbole de résurrection devait être retenu par les hommes, le modèle que Jésus propose n'étant pas la mort triomphante de la Vie mais la Vie triomphante de la mort.

Un christianisme authentique suppose d'abord la Résurrection, puis l'Ascension, puis la Pentecôte, cette victoire finale de l'Esprit. Une semblable religion nécessite des coeurs de fête et le devoir d'un vrai chrétien serait de ne proférer que *Te Deum, Hosannas* et *Alleluias*.

JÉSUS DU PEUPLE

Le Christ n'hésite pas à se mêler aux publicains, de préférence aux docteurs et aux prêtres qu'il stigmatise; il est ouvertement pour le peuple contre l'aristocratie de son époque. Il ne refuse ni l'amour de Marie-Madeleine ni ses parfums. Ce n'est pas à la femme de Ponce-Pilate mais à la pécheresse samaritaine qu'il offre l'eau éternelle, celle qui guérit à jamais la soif. Sa bouche se refuse à condamner la femme adultère; il est toute miséricorde et compréhension pour les humbles et les petits. Sa colère ne s'élève qu'en présence des pharisiens, sépulcres ostentatoires et c'est aux théologiens de son temps, représentés par les sacrificateurs et les anciens du peuple, qu'il dit ces paroles menaçantes: «Je vous le dis en vérité, les publicains et les prostituées vous devanceront dans le royaume de Dieu.» (Matthieu XXI-31).

Jésus buvait volontiers un peu de vin et faisait un usage modéré de la viande. Sa robe sans couture était un modèle de tissage à la main. Il n'avait pas de haine pour les pécheurs mais vouait à ceux qui se trompaient une commisération infinie. Sa prédilection allait à l'enfant prodigue et à la brebis perdue parce qu'ils avaient subi victorieusement le feu du désir.

«Je suis venu, disait-il, afin que les brebis aient la vie et qu'elles soient dans l'abondance.» (Matthieu X-10.)

QU'EST-CE QUE RENAÎTRE?

Si vous ne changez totalement d'état d'âme et de conscience vous demeurerez cloîtré dans la vie formelle au lieu de la diviniser par votre interprétation. Car l'Homme est né matériellement et subordonne son existence aux démonstrations extérieures et ce n'est que s'il découvre personnellement les beautés intérieures qu'il renaît spirituellement.

Alors seulement il a la véritable compréhension de Dieu parce qu'il le voit en toutes choses, l'identifie en chaque être, l'incorpore dans tout événement. C'est à quoi se reconnaîtra le christianisme des temps nouveaux qui, à l'image de Jésus, sera dénué d'ascétisme et de sectarisme et n'introduira pas l'intelligence discursive dans le domaine de l'Esprit où elle n'a que faire et se contentera de vivre le Christ à toute heure du jour.

LE CHRIST EST LA FORMULE HUMAINE DE DIEU

Le Christ, au fond, n'est qu'une formule de Dieu mise à la portée de notre sensibilité et de notre conscience et qu'on ne peut saisir ni par le raisonnement ni par la logique mais uniquement par le coeur. C'est ce christianisme sublimé que prédisait au siècle dernier Joseph De Maistre et qui n'avait chance de s'épanouir qu'après une évolution. Or jamais temps ne furent plus favorables à une expansion de l'amour christique que ceux qu'il nous est donné de vivre aujourd'hui. La Science progresse avec une telle ampleur et une telle soudaineté qu'elle atteint le domaine de l'Esprit dans l'infiniment petit comme dans l'infiniment grand et se trouve en face de la Vie invisible qui l'investit et la pénètre de toutes parts.

Nous avons connu, au début de ce siècle, une crise aiguë de matérialisme, due à la mentalité primaire des premiers savants industriels. Alors il semblait qu'un abîme séparât la science de la religion, l'une étant antagoniste de l'autre, alors que, présentement et en dépit des religions comme de la science, l'esprit scientifique tend à s'identifier avec l'esprit religieux. Il a fallu pour cela que la science fît un grand pas. Il faut pour cela que la religion agisse de même et se persuade que les temps de sclérose et d'ossification des dogmes sont révolus. La religion avancera du même pas que la science ou elle disparaîtra, du moins sous sa forme confessionnelle. L'une ne va pas sans l'autre car elles sont deux aspects différents d'une même quête en direction de la Vie.

LE CHRIST DU XXe SIÈCLE

Certains mettront en avant les textes des Écritures. Pour respectables qu'elles soient et quelque valeur qu'elles aient présentée à leur époque, celles-ci s'appliquaient à des âges abolis. L'Ancien Testament n'a d'autre intérêt pour l'homme moderne que celui d'une rétrospective historique d'un petit peuple. Dans le Nouveau Testament lui-même on n'a conservé de l'enseignement de Jésus que ce qui seyait aux institutions de l'Église et il n'est que de comparer le Christ de saint Jean avec celui des trois autres évangélistes pour sentir l'énorme différence qu'il y a entre ces deux visages de Jésus.

Au surplus, Jésus était de son temps. Ses paraboles, nourries de la tradition, s'adressaient aux juifs du début de l'ère. Pour se faire comprendre de la race indocile il devait lui proposer des paroles adaptées à cette époque et proférer les mots qu'elle pouvait saisir.

Comment admettre que, surgissant aujourd'hui, le Christ tiendrait le même langage aux générations de l'âge atomique? Rien ne subsisterait plus de l'impatient prédicateur de Matthieu, Luc et Marc et seul le Christ de Jean serait habilité à prêcher sa doctrine d'amour. Car c'est d'amour surtout que l'Homme a besoin, à mesure que croît sa détresse mais aussi de vérité à mesure que croît son erreur.

Toutefois qu'on n'attende pas de retour du Christ sous une forme organique! Le salut spirituel ne peut venir d'un autre homme de chair. La Parousie n'est pas d'ordre général mais individuel. *C'est en chacun de nous que doit revenir le Christ.* Il nous ouvrira les yeux et nous fera libres.

Tel est ce consolateur qu'annonçait le Fils de l'Homme et qui est l'Esprit de Vérité.

PARABOLE DE NICODÈME

Mais il y eut un homme d'entre les pharisiens, nommé Nicodème, un chef des Juifs, qui vint, lui, auprès de Jésus, de nuit, et lui dit:

— Rabbi, nous savons que tu es un docteur venu de Dieu, car personne ne peut faire ces miracles que tu fais si Dieu n'est avec lui.

Jésus lui répondit:

— En vérité, en vérité, je te le dis, si un homme ne naît de nouveau il ne peut voir le royaume de Dieu.

Nicodème lui dit:

— Comment un homme peut-il naître quand il est vieux? Peut-il rentrer dans le sein de sa mère et naître?

Jésus répondit:

— En vérité, en vérité je te le dis, si un homme ne naît d'eau et d'esprit, il ne peut entrer dans le royaume de Dieu. Ce qui est né de la chair est chair et ce qui est né de l'Esprit est esprit. Ne t'étonne pas de ce que je t'aie dit: «Il faut que vous naissiez de nouveau.» Le vent souffle où il veut et tu entends le bruit; mais tu ne sais ni d'où il vient ni où il va. Il en est ainsi de tout homme qui est né de l'Esprit.

Nicodème lui dit:

— Comment cela peut-il se faire?

Jésus lui répondit:

— Tu es le docteur d'Israël et tu ne sais pas ces choses.

(Jean III-1 à 10.)

La prière c'est la vie en Dieu.

CHAPITRE V

LA PRIÈRE EN ACTES

LE CHEMIN DIRECT VERS LE PÈRE

Ainsi vous savez tous qu'il y a un chemin direct vers le Père et que ce chemin court passe par le Christ.

Chemin d'Amour qui n'est autre que le Royaume de Dieu sur terre et point n'est besoin même d'y entrer sur l'heure pourvu qu'on chemine vers lui. Car de même que la recherche du Graal était le Saint-Graal en puissance, de même la recherche du Royaume est déjà le sentiment qu'on chemine en Dieu.

«Mais, direz-vous, où est donc ce chemin et comment puis-je le prendre? N'y a-t-il pas de carte, de poteau indicateur, de guide, pour y pénétrer? Je souscris volontiers à ce qui m'est dit et je suis affamé de connaître le Royaume mais de quelle façon pratiquement y parvenir, imbriqué comme je le suis dans l'existence de tous les jours?»

D'autres diront aussi: «Puis-je vivre divinement dans un monde humain où je dois faire face à mille obligations quotidiennes, où je suis justiciable de mon toit, de mon vêtement et de mon pain? De quelle manière me soustrairais-je aux vicissitudes de la vie organique, aux exigences de la vie économique, aux préoccupations de la vie sociale si je ne suis pas moine, religieux, sannyasin ou yoghi?»

Rien de plus facile, si vous le voulez, car la vie divine n'est pas un domaine à part de la vie humaine. Vous n'avez pas à sortir de l'une pour entrer dans l'autre parce que les deux se confondent et que la vie humano-divine est un tout.

L'ENVERS ET L'ENDROIT

Imaginez que la première est l'envers de la deuxième. Vous qui vivez sans le savoir à l'envers n'êtes-vous pas désireux de vivre à l'endroit? Tant que vous ignorez l'endroit c'est l'envers qui vous semble être toute la vie mais, quand vous connaîtrez l'endroit, l'envers ne vous paraîtra que ce qu'il est. Alors nos yeux seront réellement ouverts et vous connaîtrez les deux aspects de la Vie.

Représentez-vous une créature de chair et d'os. Qu'en connaissez-vous sinon l'extérieur? La notion que vous avez de l'être le plus cher se borne à son enveloppe formelle et votre intérêt, pour lui et pour elle, s'arrête le plus souvent à la surface de sa peau. Cependant c'est par tout ce que vous ne vous représentez pas: viscères, glandes, nerfs, cerveau, lymphe, os et endocrine que vit surtout l'être organisé. Vous n'osez pas retenir l'image de l'homme viscéral, humoral, etc. Vous n'évoquez qu'avec effroi son squelette. Et pourtant c'est bien plus le contenu qui fait la vie organisée que le contenant.

Or l'Homme invisible est encore plus totalement mêlé à l'Homme visible que vos organes internes ne sont solidaires de votre peau. À la vérité ils sont une seule substance, une unique manifestation.

DIVINISER CE QUI EST HUMAIN

Sachant cela, vous saurez que vous n'avez pas à modifier votre vie, qu'il n'est aucunement nécessaire de vous retirer sur la montagne ou dans un cloître pour prier Dieu face à face car la montagne et le cloître sont en vous.

Vous n'avez rien à changer à votre travail, à vos loisirs, à vos habitudes. Ceux-ci sont une expression neutre de la Vie. Il dépend de vous de les humaniser ou de les diviniser.

Mais pourquoi sépareriez-vous, même en esprit, ce qui est humain de ce qui est divin, puisque, si vous le décidez, le divin s'introduira dans l'humain ou, ce qui est plus exact, vous aurez soudainement conscience qu'il y est déjà de toute éternité?

Jamais tâche plus aisée et plus simple n'a été offerte à ceux qui entendent diviniser leur vie car il leur est seulement demandé d'en modifier non le mode mais l'interprétation. De sorte que n'importe qui et dans n'importe quel lieu, à n'importe quelle période de son existence, est à même de tout changer intérieurement.

L'admirable est que ce changement intérieur détermine automatiquement un changement extérieur des choses, si bien que le reste de l'univers, qui vous paraissait naguère indifférent ou hostile, vous semble désormais amical et intéressant.

UN PROCÉDÉ ENFANTIN

Vous avez hâte de savoir par quel procédé miraculeux tant de bonheur et d'abondance peuvent être canalisés vers vous. La formule tient en quelques mots:

PRIEZ EN ACTES

Jusqu'à présent on ne vous avait appris qu'à prier en pensée, ce qui est déjà quelque chose, ou, le plus souvent, en paroles, ce qui, lorsque l'idée est absente, n'est rien du tout.

Vous pouvez débiter des centaines de chapelets et des milliers de rosaires, vous pouvez faire tourner des mantrams sur papyrus et des moulins à prière pendant des siècles sans que cela ait la moindre influence sur la vie et l'événement. Dieu, que vous appelez au loin dans le ciel, est là, tout près, en vous. Il vous pénètre par chacun de vos atomes, vibre en chacune de vos cellules et votre matière n'existe que par son esprit. C'est donc en esprit seulement que vous pouvez réaliser l'union avec Dieu et par l'esprit que vous magnifiez vos actes. Ainsi l'esprit divinise tout ce qui paraît n'être pas lui et la divinisation de la matière est le but ultime de l'Évolution.

Prenez votre condition de tous les jours et servez-vous en. Vous avez en vous et autour de vous tous les éléments de la vie-prière.

LE RÉVEIL DIVIN

La plupart des hommes et des femmes qui peinent et travaillent se réveillent avec un sentiment de tristesse et de frustration. Les gestes matinaux à accomplir et la perspective du devoir quotidien à faire jettent une ombre sur le réveil des civilisés. Et plus l'homme et la femme avancent dans la vie, plus le fardeau de chaque journée leur paraît lourd et pénible à supporter.

Mais vous, qui n'êtes plus seul désormais et savez que vous allez travailler avec Dieu, n'imitez pas l'attitude de ceux qui s'éveillent dans la tristesse. Que votre première pensée du matin soit pour remercier et bénir!

Bénissez donc d'avance et avant même de vous lever le jour qui naît, la tâche qui vous attend, la vie qui vous est faite, de manière qu'avant même de mettre un pied hors du lit vous ayez tout consacré au préalable par l'intention.

Dites:

«Je t'offre tout de moi et des miens. Je te fais don de cette nouvelle journée de ma vie. Je la mets sous ta sauvegarde et te sais gré de l'enrichir.

«Tout ce que je ferai aujourd'hui, dirai, penserai, je le déclare d'avance prière, de façon que tous mes actes, toutes mes paroles, toutes mes pensées te soient agréables parce que dignes de toi.

«Je ne verrai pas le mal si son mirage déprimant s'offre à ma vue. Je nierai les circonstances fâcheuses. Mais, en revanche, je m'appliquerai à chercher le bien en tout et à retenir les événements heureux.

«Je marque spécialement ce jour d'un caillou blanc. Je le déclare enrichissant et faste.

«Les heures qui vont suivre t'appartiennent et je les mets à ta disposition.»

Vous vous levez, dès lors, dans un état d'esprit différent de celui des autres hommes, pour qui le travail de la journée est au service de tiers qui doivent en tirer du profit.

Vous, vous ne travaillez ni pour Pierre ni pour Paul, ni pour votre femme ni pour votre mari, ni pour vos enfants ni pour aucune entreprise terrestre mais, à partir de maintenant pour Dieu et Dieu seul.

Car votre patron, votre collaborateur, votre famille, votre ami, votre relation ont surtout souci d'eux-mêmes et ne peuvent humainement voir tout ce que vous faites et vous en savoir assez de gré. Tandis que Dieu voit tout, comprend tout jusqu'au plus petit effort, au plus minuscule sacrifice et tient compte de vos versements les plus infimes si vous voulez bien le prendre pour comptable et pour caissier.

Tentez seulement ce premier lever dans la vie divine. La journée matériellement la plus maussade vous semblera pleine de rayons. Car le soleil extérieur n'est rien si le soleil intérieur n'éclabousse pas votre âme et quel soleil est plus éblouissant que la présence de Dieu?

LE TRAVAIL DIVIN

Ceux qui travaillent manuellement ou intellectuellement se divisent en trois groupes dans la société humaine: les courageux, les indifférents et les paresseux.

Chacune des trois catégories peut tirer profit de la conversion du travail en prière, les premiers parce qu'il décuplera leur courage, les seconds parce qu'il les intéressera à leur tâche, la troisième parce qu'il les sortira de leur torpeur.

Travailler, même courageusement, pour un profit matériel, travailler, même héroïquement, par satisfaction d'amour-propre ne suffit pas à donner à l'existence tout son sens. L'ouvrier le plus amoureux de sa spécialité, l'artiste ou l'écrivain le plus enthousiaste de sa création ne tirent d'agrément de leur travail qu'en raison de l'importance que les autres hommes lui accordent ou de l'intérêt général qu'il suscite. Or cet intérêt et cette importance sont intermittents, fugaces, aléatoires et ne remplacent pas l'attention bienveillante du Grand Témoin.

Si vous êtes convaincu de la présence de Dieu au sein de l'Évolution qui vous entraîne avec le monde vous avez vraiment conscience de participer au travail universel dans la mesure de vos moyens. Mais sachez bien que le plus petit effort consacré à Dieu est infiniment supérieur, du point de vue évolutif, à la réalisation humaine la plus gigantesque si celle-ci ignore le contrôle divin.

Combien justement Guy de Larigaudie a-t-il pu faire observer qu'on priait Dieu aussi valablement en épluchant des pommes de terre qu'en bâtissant des cathédrales. À la condition toutefois que la tâche la plus vulgaire soit transformée en cathédrale par l'intention.

Ne soyez donc pas humilié si votre sort vous a conduit à laver du linge ou à faire du ménage, à cuisiner pour les autres, à bêcher, à manier la pioche, la scie, la truelle ou le ciseau. Le travail manuel le plus rebutant peut être divinisé par l'offre que vous en faites car rien n'est vulgaire ou insignifiant au regard de Dieu.

Le travail-prière ou la prière en travail ne deviennent plus, à partir de ce moment, exclusivement matériels parce que, délibérément, vous en faites de la pensée. Effort mental et effort physique aident ensemble à l'Évolution.

Peut-être surprendrait-on beaucoup le jardinier en lui disant que toutes les fois qu'il sème, désherbe ou récolte il contribue à l'ascension du monde. Cependant il n'est si petit poids, fût-ce d'un milligramme, qui ne s'inscrive sur la balance universelle tant celle-ci a de sensibilité et de précision.

À plus forte raison le travailleur intellectuel, du simple plumitif au plus prestigieux poète, est-il en mesure de magnifier et sanctifier le travail de la pensée qui s'exprime par le jeu de ses doigts.

Si celui qui travaille avait le sentiment qu'il le fait non pour lui mais pour Dieu, combien de méprises seraient évitées! Car bien peu oseraient offrir à Dieu un travail incorrect ou impur.

Le seul travail fécond est celui qu'on fait avec joie. Mais comment l'ouvrier serait-il joyeux s'il se sent, même partiellement, frustré du fruit de son travail? Ce sentiment de frustration est cependant inévitable s'il ne croit ce travail destiné qu'à le nourrir, à entretenir ses proches, à alimenter son entreprise ou à enrichir autrui.

Dieu est le seul patron pour qui l'on aime travailler sans restriction, avec joie et même avec enthousiasme, parce qu'il ne prélève aucune contribution sur le produit de votre travail. Son bénéfice est exclusivement spirituel. Il s'accroît de l'essence des choses et du parfum des intentions. Il vous est, dès lors, bien facile de lui réserver, non seulement la dîme de votre labeur mais encore la totalité de votre labeur même sans que vous vous appauvrissiez en l'enrichissant.

Si vous vous entraînez à cette gymnastique du don informel vous deviendrez un épargnant de la pensée et votre trésor intérieur sera grand dans les cieux.

LE CIEL EST LA RÉGION LA PLUS ÉLEVÉE DE VOUS-MÊME

On vous a mis dans l'esprit que les cieux étaient un lieu, quelque part hors de la terre, alors que les cieux sont un état qui existe, consciemment ou inconsciemment, en vous. Car le Ciel n'est que la région la plus élevée de vous-même. Mais tant que vous l'ignorez c'est comme si le Ciel n'existait pas pour vous.

Il vous appartient donc de comprendre que vous possédez un domaine céleste, qui est exclusivement le vôtre et où nul autre que vous ne peut entrer.

Vous êtes le plus souvent comme ce pauvre homme dont parle la Fable, qui vécut misérable toute sa vie sans savoir qu'un trésor était enterré sous son lit. Avec cette différence cependant que l'or matériel n'est rien à côté des richesses spirituelles, lesquelles ne redoutent ni la dévaluation ni les voleurs. Avec cette différence aussi que le trésor caché en vous-même fait partie intégrante de votre personne et ne peut être ni aliéné ni perdu.

La seule chose qui vous incombe est de le découvrir, d'en prendre intimement conscience. Alors quels que soient les nuages accumulés sur votre existence, les cieux intérieurs se découvriront et c'est seulement alors que Dieu vous apparaîtra au fond de vous-même et qu'à l'usage vous le sentirez plus intimement associé à vous que votre sang et votre chair.

LE REPAS-PRIÈRE

Quand vous prenez votre repas et que vous absorbez de la nourriture vous ne faites pas autre chose que répéter les gestes de l'animal, pour qui manger consiste uniquement à entretenir les fonctions organiques de la vie.

Cela vous est sans doute aussi indispensable qu'à l'animal. Mais ce que la bête ignore et que vous, vous devez savoir, c'est qu'en bénissant vos aliments et en faisant de votre repas une prière vous leur conférez une valeur transcendante et un sens prodigieux. En même temps que vous satisfaites les besoins animaux vous pourvoyez aux besoins essentiels de votre âme, laquelle s'alimente aussi selon un mode supérieur.

D'où la nécessité de ne pas faire de l'acte de manger une démonstration qui se suffit à elle-même mais, au contraire, de le qualifier pour une manifestation plus haute, au-delà et au-dessus du formel. Pour cela vos repas ne doivent pas se borner aux pures sensations physiologiques, bien qu'il vous soit parfaitement permis de jouir des plaisirs du goût et de l'odorat, pourvu que, par l'intention, vous en reportiez à Dieu la satisfaction et la gratitude et que votre nourriture physique se double d'une nourriture en esprit.

Quand vous aurez pris l'habitude de ne jamais manger sans que Dieu soit présent à votre table vous serez surpris du caractère auguste de votre repas. Ne croyez pas surtout que la présence de Dieu soit un obstacle à la joie et à l'allégresse car il n'a pas fait pousser les fruits de la terre pour d'autres que pour vous.

La beauté et la saveur des aliments sont une des formes du sourire de Dieu si vous savez le reconnaître. Buvez et mangez car ceci est la chair et le sang divins.

Déjà vous avez compris qu'un tel commensal écarte les excès de table et que la présence de Dieu vous oblige à tout sanctifier. Or comment sanctifierez-vous le repas? Est-ce au moyen de prières spéciales, d'incantations liturgiques? Nullement mais en éprouvant de la gratitude pour ce qui vous est donné. Vous ne devez pas boire une goutte de liquide ni absorber une parcelle de nourriture sans qu'une fois pour toutes vous les ayez consacrées à l'Esprit.

Croyez si l'on vous dit qu'une alimentation ainsi conçue est aussi réconfortante pour votre âme que régénératrice pour votre corps. Car pur sera ce que vous mangerez et boirez et purs seront vos propos et vos gestes à cause de l'ineffable Présence introduite au milieu de vous.

LE JEU-PRIÈRE

Il est peu d'hommes qui savent jouer divinement. De là l'impression qu'ont la plupart de prendre leurs loisirs au détriment de leurs obligations quotidiennes, erreur dont souffrent à la fois l'Homme, ses loisirs et ses obligations.

En réalité si vous considérez le travail comme un jeu, ce qu'il est vraiment pour qui lui confère cette signification délibérée, vous ne faites que changer de loisirs. Dès lors l'unique différence entre le loisir-travail et le loisir-jeu réside dans le fait que vous êtes rémunéré financièrement pour le premier tandis que le second n'obtient pas de salaire monnayable. Mais soyez bien persuadé que l'un et l'autre ont leur bénéfice selon le but que vous leur assignez.

Le jeu est une obligation pour l'Homme, d'autant plus impérieuse si celui-ci n'y consacre qu'une part insuffisante de sa vie. Amasis, pharaon d'Égypte, auquel ses officiers reprochaient de se divertir dans l'intervalle de ses audiences, leur demanda:

— Pourquoi, ayant bandé votre arc lorsque vous devez vous en servir, le détendez-vous après vous en être servi?

— Parce que, répondirent-ils, la corde toujours tendue s'amollirait ou pourrait se rompre.

— Eh bien! fit-il, il en est de même pour moi. Et c'est parce que je sais me détendre que je suis capable de me tendre opportunément.

Ne pensez-vous pas que le Pharaon des pharaons connaît aussi la valeur de la détente? La Genèse nous montrait déjà le Créateur se reposant pour juger de son oeuvre le septième jour.

Les Extrêmes-Orientaux font grief aux Occidentaux et encore plus aux Extrêmes-Occidentaux, que sont les États-Unis d'Amérique par exemple, d'une activité fébrile et d'un travail matériel démesuré. Ils ont raison quand ils condamnent l'action pour l'action mais ils ont tort quand, renonçant totalement à celle-ci, ils se réfugient dans une caverne de montagne et se retranchent du corps social. Car en ces temps d'évolution vertigineuse et quand l'Humanité entière y est engagée, nul n'a le droit de se limiter uniquement à son problème dont la solution dépend du problème général. Certes vous avez d'abord vos affaires individuelles mais sans perdre de vue qu'elles sont imbriquées dans celles des autres et que vous ne pouvez évoluer tout seul.

Faites donc votre devoir joyeusement et que vos loisirs ne soient pas inférieurs à ceux des créatures secondaires puisque l'oiseau chante, le grillon stridule, la cigale vibre, le chat et le chien s'amusent, le vent folâtre, les plantes comme les bêtes se chauffent au soleil. La Nature elle-même, après s'être étourdie de parfums au printemps, avoir bu le soleil de l'été, fêté ses noces d'or avec l'automne, s'endort paresseusement durant les glaces de l'hiver.

Et pourquoi n'offririez-vous pas à Dieu votre partie d'échecs ou de foot-ball, votre stalle de cinéma ou votre fauteuil de théâtre, votre partie de pêche ou votre excursion en canot, vos divertissements ou vos vacances?

Cela est-il donc indigne de la joie de Dieu? Bien au contraire vos loisirs et vos délassements, ainsi consacrés à la présence la plus haute, ne deviendront jamais l'occasion de chutes et d'erreurs. Qui oserait, après les avoir offerts au Seigneur, user de ruse ou de brutalité, se complaire à des spectacles cruels ou malsains, rechercher des amusements dangereux ou des jouissances pernicieuses?

Tout est dans tout et tout concourt à l'évolution du monde et de l'Homme. Rien ne doit être rejeté; tout doit être utilisé. Car ceci n'est que l'envers de cela mais la trame est toujours la même que ce soit de ce côté-ci ou de ce côté-là.

C'est ce qu'a traduit Mansûr-el-Halla, le mystique musulman, par ces paroles vieilles de dix siècles:

«C'est le recueillement puis le silence; puis l'aphasie et la connaissance; puis la découverte, puis la mise à nu. Et c'est l'argile, puis le feu; puis la clarté, puis le froid; puis l'ombre, puis le soleil. Et c'est la rocaille puis la plaine; puis le désert puis le fleuve; puis la crue et puis la grève. Et c'est l'ivresse puis le dégrisement; puis le désir et l'approche; puis la jonction puis la joie. Et c'est l'étreinte puis la détente; puis la disparition et la séparation; puis l'union, puis la calcination.»

LE SOMMEIL-PRIÈRE

Le soir, avant de vous endormir, quand vous gisez, membres détendus, et que vous goûtez la douceur de votre couche, il vous est loisible de revivre par la pensée tout ce que vous avez fait durant le jour. Alors vous pesez vos actes, vos paroles, vos pensées et vous dites: «Ont-ils été conformes au programme que, ce matin, je me suis tracé? Furent-ils tous des prières et des dons susceptibles d'être offerts? N'y a-t-il pas eu, parmi eux, des fruits véreux ou des fleurs fanées? Ma gerbe était-elle intacte et ma corbeille sans défaut?»

Quoi que cette remémoration suggère à votre esprit n'essayez pas de faire le tri. Détournez votre attention du moins bon pour n'insister que sur le meilleur et promettez-vous seulement que, dans la journée suivante, tout sera splendide et parfait.

Puis offrez, en don pur et gratuit, c'est-à-dire sans envisager de récompense, la nuit qui vient avec ses rêves et son sommeil.

Il peut paraître, aux yeux de qui ignore le mécanisme du dédoublement nocturne, que le sommeil est un état d'inconscience où l'Homme choit dans le néant. Mais, pour qui sait, l'acte de dormir, s'il éteint presque totalement les perceptions de la conscience, libère en revanche les énergies inconscientes et projette l'esprit dans une autre dimension. Au cours du sommeil vous entrez dans une forme différente de la Vie, ni inférieure ni supérieure, mais qui se poursuit sur un autre plan. Votre inconscience est aussi agréable à Dieu que votre conscience si, d'avance, vous avez délibéré de mettre l'une et l'autre au service du Divin.

Bénissez, en conséquence, votre nuit comme votre jour et laissez opérer l'Esprit au fond de vous-même jusqu'à ce que vous soyez devenu sa chose préférée, sa terre d'élection, son domaine privilégié. C'est alors que vous vous apercevrez, au réveil, que vous avez été *visité* au plus profond de votre être et cela expliquera la joie, naguère inexplicable, qu'il vous arrive d'éprouver en commençant le jour.

L'ÉCHEC-PRIÈRE

Vous ne croiriez pas à l'efficacité de ce qui précède s'il vous était dit que vous pouvez toujours réaliser vos desseins. Ceux-ci ne sont favorisés par l'Invisible que s'ils sont dans le sens de l'évolution générale et dans l'axe de votre personnelle évolution.

N'éprouvez donc ni rancune ni chagrin de ce que vous appelez vos échecs. Qu'est-ce, en effet, que l'échec sinon l'avertissement qui vous est donné de ne pas persévérer dans une certaine voie?

Un autre mystique, contemporain celui-là, a comparé l'existence humaine à une partie de cache-tampon. Dans la recherche de l'objet dissimulé les GÈLE! renseignent autant que les BRÛLE! Autrement dit, il est certain que, dans le tunnel sombre et anfractueux de la vie, on avance en se cognant aux parois. Le choc de droite veut dire qu'il faut prendre à gauche, le choc de gauche qu'il faut prendre à droite, etc.

Si l'on vous demandait ce qui vous fait le plus plaisir de l'échec ou de la réussite vous répondriez certainement: «La réussite.» Mais si l'on vous demandait ce qui, de l'échec ou de la réussite, vous est le plus utile, vous devriez répondre: «C'est l'échec.» Car la réussite, surtout quand elle est continue, est éminemment dangereuse, spécialement pour les faibles, bien qu'elle soit redoutable aussi pour les forts. Par contre, rien n'est plus instructif que l'échec si vous avez assez d'impartialité pour le méditer et assez d'intelligence pour en tirer la leçon.

Il y a toujours quelque chose à apprendre dans un échec. L'échec est une mine de réflexions fructueuses pour celui qui en fait une judicieuse exploitation.

N'oubliez pas, en effet, ce qui vous a été dit, tant de l'Évolution que de la Vie, ces deux mots signifiant la même chose car on ne saurait évoluer sans vivre ni vivre sans évoluer. Or Vie et Évolution ne sont rien d'autre que de l'effort, effort pour durer sans doute et pour survivre, mais effort aussi pour avancer, progresser, s'élever, grandir.

C'est pourquoi nous disons que l'effort est encore plus grand quand il y a échec que quand il y a réussite, parce que si cet effort est le même jusqu'au résultat, il diffère grandement après celui-ci.

Rien ne peut constituer un effort plus admirable aux yeux de Dieu que celui de l'Homme qui se relève après sa chute et reprend courageusement son chemin. C'est dans ce sens que la rentrée au bercail de la brebis perdue suscite tant d'amour chez le Pasteur et que le retour de l'enfant prodigue cause tant de joie chez le Père.

Veuillez, en conséquence, ne pas craindre les mécomptes, les déboires, les insuccès, les blessures, les heurts. Souhaitez-les, au contraire, comme le cruciverbiste recherche la difficulté dans les mots croisés, le champion dans la compétition, le savant dans la recherche, l'artiste dans la difficulté, le bricoleur dans la réalisation.

Mais réjouissez-vous également du succès et de la réussite. Montez-les en épingle, tirez-en des satisfactions légitimes et ne vous endormez pas sur vos lauriers. Rien ne prédispose autant au relâchement et à l'abandon comme une réussite trop complète et un succès trop absolu.

Surtout ne manquez pas d'offrir à Dieu le succès comme l'échec, le mécompte comme la réussite. Ainsi et quel que soit l'événement qui vous touche vous gagnerez à tous les coups.

LA DOULEUR-PRIÈRE

Sachant ce que vous savez, vous ne pouvez être inaccessible à la douleur, que celle-ci soit physique ou morale.

La première vous atteint dans vos inclinations personnelles ou sous l'apparence de ceux qui vous sont chers. La seconde vous frappe dans votre sensibilité ou votre intégrité organiques. Peut-être la douleur morale est-elle la plus pénible car, sur le coup du moins, il n'existe aucun chloroforme, aucune morphine pour cette sorte de douleur. Nous avons connu un spiritualiste au grand coeur à qui il avait été donné de choisir entre la souffrance de l'âme et la souffrance corporelle et qui, redoutant davantage la première, avait préféré vivre les quinze dernières années de sa vie cloué par la douleur dans son lit.

Personne ne peut se dire à l'abri de l'une ou de l'autre et, parfois, de l'une en même temps que de l'autre. Toutefois c'est dans l'épreuve de la douleur que l'attitude de celui qui souffre est déterminante. Elle influe directement sur le comportement et sur les résultats.

Jamais l'occasion n'est plus belle d'offrir sa souffrance car on en change absolument le caractère en la sanctifiant. Il ne s'agit même plus de l'accepter mais de la considérer comme une bénédiction, d'en tirer profit et gloire, d'être plein de reconnaissance, inondé de gratitude pour avoir été reconnu apte à ce fardeau.

Tels physiologistes admettront difficilement que la souffrance d'un mal donné puisse être absolument différente selon que celui qui l'éprouve maudit ou bénit son mal. Cependant la douleur n'existe que par la perception qu'on a et cette perception n'est pas la même si la conscience l'idéalise et en fait un encens vers Dieu.

Tout est instantanément changé par l'intervention de l'Esprit Divin dans les réactions du corps et de l'âme si cette intervention est demandée, souhaitée, attendue comme un bienfait. Il n'est pas d'exemple qu'une créature en prière ne reçoive pas une aide à sa mesure, non dans un sens prévu mais selon le discernement de Dieu.

Parmi tout ce que l'Homme est en mesure d'offrir rien n'est plus précieux et plus sacré que sa souffrance. C'est dans cette occasion et sans préoccupation d'ascétisme qu'il peut lui aussi, porter sa croix. Qu'il ne perde cependant pas de vue que souffrance et douleur ne sont pas une fin mais un moyen et que le dessein profond de la Vie est la santé comme l'intégrité de l'âme et du corps.

Car Vie et Évolution tendent vers l'harmonie.

LA PRIÈRE DEVANT LA SCIENCE

Pour répondre à ceux qui ne verraient dans les lignes précédentes que des assertions sans valeur réelle ou positive citons les paroles que voici, lesquelles n'émanent ni d'un mystique ni d'un illuminé. Elles sont dues aux méditations et à la plume du Dr Alexis Carrel, l'un des plus grands scientifiques de ce temps, aux travaux de qui le monde a rendu hommage. On verra que son programme mental et spirituel est singulièrement proche du nôtre et il l'a formulé en termes d'une haute noblesse et d'une rare autorité.

«La vraie prière, a-t-il écrit, est une manière de vivre. La vie la plus vraie est littéralement une manière de prier.

«La prière est une force aussi réelle que la gravitation universelle. En qualité de médecin, j'ai vu des hommes, alors que toute thérapeutique avait échoué, soulevés hors de leur maladie et de la dépression par l'effort serein de la prière.

«Bien comprise, la prière est un acte de maturité, indispensable au complet développement de la personnalité, l'ultime intégration des facultés de l'Homme les plus hautes.

«Comment la prière nous fortifie-t-elle de tant de puissance dynamique? Pour répondre à cette question (considérée comme étant hors de la juridiction de la Science) je dois faire observer que toutes les prières ont une qualité commune. Les hosannas triomphants d'un grand oratorio ou les humbles supplications d'un Iroquois invoquant la chance au profit de sa chasse démontrent la même vérité: que les humains cherchent à augmenter leur énergie limitée en s'adressant à la source illimitée de toute énergie. En priant nous nous joignons à l'inépuisable force motrice qui fait tourner la Terre.»

Le génial chef de laboratoire a dit aussi:

«L'influence de la prière sur l'esprit et le corps humain est aussi aisément démontrable que la sécrétion des glandes.»

Mais il ajoute:

«Ce n'est pas en nous servant de la prière comme d'une pétition que nous en retirerons le plus de pouvoir mais en suppliant Dieu *de nous rendre semblables à lui*. La prière devrait être considérée comme un entraînement à la présence de Dieu. L'homme ne prie pas seulement pour que Dieu se souvienne de lui mais encore pour que lui se souvienne de Dieu.»

Et il termine par ces mots qui jettent sur l'acte de prier une lumière intense:

«La prière est une fonction fondamentale de l'esprit.»

PARABOLE DU PETIT GARÇON

Un initié disait à ceux qui venaient le voir et qui lui demandaient comment pénétrer dans le royaume de Dieu:

— Où croyez-vous que se trouve ce royaume?

Certains répondaient:

— Au ciel.

D'autres:

— Sur une planète.

D'autres encore:

— Dans le soleil.

Le saint les regardait en souriant et hochait doucement la tête.

— Vous n'y êtes pas. Le royaume du Ciel est dans votre coeur.

Comme tous s'en étonnaient, pensant qu'il ne pouvait être si proche, le sage leur conta l'apologue que voici:

Le petit garçon d'un conte de fées avait été envoyé par sa mère au pays des pommes d'or pour en remplir une corbeille et, bien qu'il eût marché de nombreux jours, il lui semblait ne devoir jamais atteindre le but.

«Il se lamentait, disant:

— J'ai traversé le pays des loups et me suis soustrait à leurs atteintes. J'ai traversé des fourrés d'épines et m'en suis tiré sans trop de sang. Mais où sont les pommiers divins où je pourrais remplir ma corbeille? Je ne vois autour de moi que des arbres tristes et dont les fruits sont sans couleur.

«À ce moment il rencontra le Grand Loup qui lui fit une peur terrible, ce en quoi il avait bien tort parce qu'il ne savait pas où il se trouvait présentement.

«Lorsque l'enfant comprit que l'animal n'avait pas de mauvaises intentions il osa l'interroger d'une voix tremblante:

— Messire Loup, savez-vous si je suis encore loin du pays où ma mère m'envoie?

«La bête ricana avec insolence:

Il y a longtemps que tu y es entré. Mais comme tes yeux sont bouchés tu y cheminerais bien encore mille ans sans t'en apercevoir.

«Et comme le petit garçon n'osait croire qu'il fût arrivé, le Grand Loup ajouta:

— Tu penses bien que si tu n'étais pas déjà dans le jardin enchanté je te mangerais sur l'heure.

«Alors il disparut et les yeux de l'enfant s'ouvrirent. Les arbres étaient pleins de lumière et, partout autour de lui, brillaient d'innombrables pommes d'or.»

Changez d'esprit et votre atmosphère changera.

CHAPITRE VI

LA RESPIRATION CÉLESTE

UNE FORME MAJEURE DE LA PRIÈRE

Voici l'une des formes majeures de la prière, celle dont l'action est la plus puissante sur l'esprit et sur le corps. Elle est liée à la respiration, qui est le mode subtil de captation des énergies vitales répandues partout dans le monde mais surtout dans l'air où les Hindous lui donnent le nom de Prâna.

Il vous a été dit naguère que les respirations conscientes étaient le meilleur moyen de s'assimiler l'électricité universelle et notamment l'influx de vie qui nous enveloppe tout entier. Nous ne retranchons rien de ces enseignements. Au contraire, nous y ajouterons autre chose en nous basant sur le fait que l'acte respiratoire comporte deux phases, également utilisables: l'aspiration et l'expiration. On verra, par la suite, que la seconde n'est pas moins précieuse que la première.

LE GESTE RESPIRATOIRE

Bien que les Extrêmes-Orientaux confèrent à la plupart de leurs gestes un caractère religieux, il ne semble pas que pour eux les gymnastiques spéciales du souffle aient été considérées comme des prières. Cependant c'est bien cette attitude de l'âme qui, chez les Occidentaux de souche christique, doit y présider.

S'il est un acte susceptible d'être considéré comme une façon de prier c'est bien celui qui, près de deux mille fois par heure et de cinquante mille fois par jour, nous oblige à emmagasiner les fluides de vie mais que l'immense majorité des individus subissent inconsciemment.

Combien d'hommes, en effet, accomplissent le geste respiratoire, non seulement sans y attacher une vertu spéciale mais encore sans même en contrôler le fonctionnement! Pour la plupart cela leur est aussi étranger que la reproduction de leurs cellules. Cette ignorance les prive d'une des sources les plus abondantes de l'énergie supérieure parce que le mécanisme est resté abandonné à lui-même et que l'intention qui divinise fait défaut.

Il leur suffirait cependant d'accomplir consciemment les gestes de la respiration pour établir la communication avec les Forces universelles et se promouvoir aussitôt d'un monde de faiblesse dans un monde d'efficacité.

LA RECHARGE SPIRITUELLE

Il va de soi que la pensée ne peut, cinquante mille fois par vingt-quatre heures, accompagner le souffle dans son jeu de pompe aspirante et foulante et contrôler chaque passage d'influx. Par contre toutes les respirations d'un jour ou d'une nuit peuvent être consacrées en bloc par la bénédiction préalable, qui met tout, et spécialement nos organismes spirituels et physiques à la disposition de Dieu.

Bénir généralement, le matin, la respiration du jour, bénir généralement, le soir, les respirations de la nuit, tel est le premier devoir d'une créature consciente. Par cela seul le plus humble de vos souffles revêt une efficacité accrue et se charge d'intention.

Cette consécration effectuée religieusement il reste à la reproduire expressément dans le cours de la journée, à raison de deux ou trois séances particulières, chacune de cinq minutes au plus.

Les maîtres du respir obtiennent d'extraordinaires résultats par différentes postures, au demeurant fort compliquées. Sans contester leur efficience nous déconseillons formellement leur pratique aux Occidentaux. Outre le fait que tels exercices respiratoires sans maître revêtent une difficulté considérable, il est patent que des accidents graves peuvent survenir chez les utilisateurs imprudents du souffle et qu'il convient de laisser les postures spéciales aux fakirs et aux yoghis.

Il ne s'ensuit pas que toute gymnastique respiratoire doive être interdite aux Européens que nous sommes. Mais les méthodes à retenir sont les plus simples et celles dont on peut garantir l'innocuité.

INUTILITÉ D'UN RYTHME FORMEL

Depuis longtemps nous avons acquis la certitude de l'inutilité des rythmes fixes, c'est-à-dire de l'observance de temps strictement minutés. Ce qui paraît essentiel c'est de faire de vastes respirations, des rétentions assez prolongées et des expirations proportionnellement courtes pour les motifs que nous allons exposer.

Restant bien entendu que les respirations s'effectuent uniquement par le nez, seul capable par la richesse de ses terminaisons nerveuses de retenir au passage, absorber et transmettre l'influx vital à nos véhicules supérieurs. Le nez agit, en l'espèce, comme un véritable transformateur et, grâce à lui, sont rechargées vos batteries mentales, de même qu'il recharge vos batteries spirituelles si vous y adjoignez la bénédiction.

Point n'est donc besoin de vous préoccuper d'un système chronométrique 2-8-4, 4-16-8 ou inversement, 4-8-2, 8-16-4, etc., c'est-à-dire qui vous oblige à assigner un temps donné de secondes à l'aspiration, à la rétention et à l'expiration. En vous débarrassant de ces prescriptions formelles par quoi votre attention est distraite, vous avez tout loisir de vous concentrer mentalement sur l'acte religieux que vous accomplissez. Celui-ci y gagne une puissance et une efficacité incomparablement plus grandes puisqu'aucune préoccupation arithmétique ne vient en diminuer l'intérêt.

ASPIREZ LE BON, REJETEZ LE MAUVAIS

Nous allons vous expliquer pourquoi le premier temps, qui est l'aspiration, doit être prolongé, ainsi que le deuxième, qui est la rétention. Ce qui importe, en effet, c'est de confier à la fonction respiratoire tout son sens spirituel. Or que désirez-vous aspirer? Tout ce qui est bon, tout ce qui est pur, tout ce qui est noble, tout ce qui est heureux, tout ce qui est vie. Et, l'ayant longuement aspiré, que désirez-vous sinon retenir tout cela en vous?

Par contre, une fois les éléments supérieurs aspirés par vous, puis retenus par vous, afin d'en irriguer votre organisme animique et physique, il vous reste à effectuer l'opération contraire, qui consiste à rejeter hors de vous ce qui est mal, ce qui est souillé, ce qui est bas, ce qui est malheureux, ce qui est maladie et mort. Inutile, par conséquent, de prolonger l'expiration mais d'effectuer celle-ci avec force, de manière à chasser hors de vous ce qui est indésirable, usé, périmé.

En somme, le mécanisme de la respiration spirituelle ressemble à celui de la respiration physique dont le but est d'aspirer l'oxygène, l'azote et les gaz rares de l'air pour refaire du sang artériel puis, au deuxième temps, de rejeter du sang veineux l'acide carbonique et les gaz usés de la combustion. Avec cette différence toutefois que la rénovation sanguine peut se faire inconsciemment, sans la participation délibérée de l'esprit et bien que l'absence d'intention amoindrisse les effets du processus, même physique, alors que la concentration de la pensée est indispensable à la rénovation de l'âme, la respiration ne devenant prière que par expresse intention.

TYPES DE FORMULES

Comment procéderez-vous pour donner, pendant cinq minutes, à votre respiration une portée consciente?

En formulant mentalement des paroles ayant le sens que voici:

Première Phase (en aspirant)

J'aspire la bonté
la beauté
la pureté
l'intelligence
la noblesse

J'aspire la joie
la paix

la douceur
la compréhension

J'aspire l'Amour
la lumière
la santé
la Vie.

Deuxième Phase (en retenant le souffle)

Je m'emplis de toutes les forces, de toutes les vertus, de toutes les espérances, de toutes les Fois.

Je m'imprègne de grandeur, de splendeur, d'harmonie.

Je suis pénétré de courage, de persévérance et d'ardeur.

Je suis un tabernacle des grâces et des bénédictions.

Troisième Phase (en expirant)

Je rejette hors de moi:

la méchanceté
l'impureté
la sottise
la laideur
la tristesse
l'animosité
la violence
l'incompréhension.

Je projette hors de moi:

la haine
les ténèbres
la maladie
la mort

le vice
le doute
la peur
le désespoir
la petitesse
la mésentente
la paresse
la lassitude
la tiédeur.

L'esprit se concentrera tout entier sur l'*idée* incluse dans chacune des phrases proférées, tant pour assimiler que pour rejeter. Très aisément et rapidement, il se fera à cette alternance, chaque phrase préparant l'autre et lui donnant toute sa vertu.

Il va de soi que les exemples qui précèdent ne sont pas limitatifs et que chacun est libre d'y ajouter ce qu'il veut ou de les modifier à sa guise. Il est même souhaitable que le proférant agisse de la sorte parce que toute image née de lui-même aura une plus grande puissance d'intention. Cela doit conduire à une sorte d'exaltation intérieure dont le bénéfice est immense et que ressentent tous ceux qui l'ont provoquée délibérément.

L'âme a alors le sentiment d'être habitée par l'Esprit. Et rien de plus complet ne peut être obtenu par l'Homme que l'ineffable don de la présence de Dieu.

PARABOLE DE LA FEMME MARIÉE

Une femme mariée se trouvait infiniment malheureuse parce qu'elle avait conscience de gâcher sa vie et de rendre malheureux ceux qui l'entouraient.

Ce n'est pas qu'elle fût dépourvue de qualités et de mérites. C'était une épouse ordonnée, une mère aimante et une amie capable de certains dévouements. Mais elle était jalouse, susceptible et quelque peu tyrannique, sans compter une propension à l'aventure et une certaine légèreté.

Assez clairvoyante pour constater l'existence de ses défauts elle manquait du courage intérieur indispensable pour les réprimer et s'en désolait parce qu'ils croissaient avec l'âge, provoquant chez les siens des réactions en chaîne dont elle était la première à subir le contre-coup.

Une amie qui appliquait les lois divines et avait ainsi transformé son existence, lui apprit un jour le mécanisme de la prière en actes et le jeu des respirations en esprit. Elle refusa d'abord d'en admettre l'opportunité et ce n'est qu'après une querelle tragique dans son ménage qu'elle se décida à utiliser les formules de respiration-prière et de spiritualiser sa vie par l'intention.

Pendant près d'un mois elle s'astreignit (soutenue en cela par son amie persévérante) à aspirer le bon et à rejeter le mauvais. Cette gymnastique lui eût rapidement semblé insipide si, dès le quinzième jour, elle n'avait observé des réactions curieuses de son entourage. Le comportement de sa famille n'était plus le même. Ses enfants lui manifestaient plus de respect et son mari davantage d'affection.

Elle commença, dès lors, à accomplir avec foi les gestes respiratoires qu'elle avait d'abord faits avec scepticisme. Et plus elle allait, plus son caractère se modifiait heureusement. Et plus son caractère se modifiait, plus l'attitude d'autrui devenait bienveillante. Si bien que le bonheur s'installa, peu à peu, en elle et fit le bonheur de tous les siens.

Purgez d'abord votre âme.

CHAPITRE VII

L'ALIMENTATION DES CORPS SUBTILS

L'ÂME SE NOURRIT AUSSI BIEN QUE LE CORPS

C'est précisément parce que vous êtes fait de corps et d'âme que vous avez à nourrir en même temps l'âme et le corps.

Il peut sembler paradoxal de préconiser une nourriture de l'âme et du corps. De même qu'il n'y a pas de frontière abrupte entre la matière et l'Esprit, de même il n'y a pas entre le corps et l'âme de démarcation précise. Le tout est idéalement imbriqué au moyen de corps subtils.

Il ne nous appartient pas de préciser le nombre ou la nature de ces corps. Nous savons seulement qu'ils sont, pour les plus grossiers, d'ordre fluidique et magnétique et, pour les plus immatériels, d'ordre éthérique et radiant.

Celle de nos enveloppes extra-corporelles qui se trouve être la plus dense est directement unie à notre transformateur-cerveau. Celui-ci irrigue à son tour d'influx un réseau complexe d'électricité vitale qui alimente les diverses régions du corps.

NOURRITURES ÉTHÉRIQUES

Croyez-vous que la matière grise de votre cerveau, la moëlle épinière et le système endocrinien soient justiciables de la même alimentation que les os, les muscles et les viscères?

Pensez-vous que le sang est seulement formé de globules et de plasma? Le sang est, en réalité, un torrent de vie qui ne s'alimente pas uniquement des particules vulgaires des aliments. Il en est de même de la matière cérébrale et des sécrétions hormonales qui ne puisent dans la nature organique que ce qui leur est indispensable organiquement.

Mais la pensée, mais les nobles impulsions de l'être humain, mais l'amour pur, mais l'esprit de sacrifice sont alimentés d'une manière différente. Une nourriture subtile est indispensable aux corps subtils.

«Comment, pensera-t-on, est-il possible de nourrir subtilement une enveloppe fluidique ou magnétique?» Tout simplement en extrayant le fluide ou le magnétisme des aliments corporels. Ces fluides ou magnétismes alimentaires portent le nom d'éthers ou d'essences et chaque aliment vulgaire en contient en plus ou moins grande quantité. Vous ne pouvez les dégager au moyen du toucher, de la vue ou de l'ouïe mais par les sens de l'odorat et du goût lesquels vous ont été donnés précisément dans ce but.

N'êtes-vous pas frappé par cette constatation que votre coeur bat et que vos poumons respirent sans que vous y trouviez une jouissance expresse, alors qu'une sorte de volupté est attachée à certains de vos besoins animaux et notamment à l'acte de manger?

Cela s'explique par le fait que la Nature n'a pas besoin de votre intérêt et de votre plaisir pour faire circuler le sang dans vos veines et dans vos artères alors que votre agrément est indispensable pour vous inciter à vous reproduire et à vous alimenter.

Pour ne parler que de cette dernière fonction, si vous ne disposiez du goût et de l'odorat que lorsque vous ingérez des nourritures, vous ne différeriez pas du boeuf, du chien ou du porc. Ceux-ci se bornent à satisfaire leur faim de matière végétale ou animale jusqu'à ce que leur estomac soit suffisamment rempli. Il en est autrement de l'Homme, créature intelligente, seule capable de donner à l'alimentation un sens mental et spirituel.

LA PORTE D'ACCÈS DES ESSENCES

En fait, goût et odorat sont liés intimement et le premier ne peut rien sans l'autre. En dehors des parfumeurs et de certains dégustateurs professionnels, bien peu de gens se sont avisés que le sens olfactif s'exerce quand vous aspirez et que le sens gustatif se développe quand vous expirez. L'odorat est donc le sens majeur parce qu'il représente la porte d'accès des essences et des effluves qu'il est chargé de transporter avec le prâna directement au cerveau. Par quelle subtile osmose le goût, le parfum, l'odeur, le fluide des nourritures est-il ensuite réparti dans nos organes nobles et nos corps subtils? C'est le secret de la Nature et du Créateur.

Ce qui vient d'être dit suffit à montrer que l'acte de manger n'est pas seulement la fonction vulgaire à laquelle tous les êtres sacrifient mais encore, pour ceux qui tendent à une vie supérieure, l'un des moyens d'en trouver l'accès.

Tout peut être sublimé, divinisé par l'intention dont on le charge et c'est là un des merveilleux pouvoirs de l'Homme, seule créature terrestre capable d'unir la pensée à l'action.

Consacrer d'avance son repas à Dieu, mastiquer religieusement les aliments, en extraire avec discernement les essences, tel est le mécanisme de l'alimentation-prière, qui transforme un geste banal en acte divin.

N'INGÉREZ QUE DES ALIMENTS PURS

On comprendra, par suite, que tous les mets ne sont pas propres à être transformés en nourriture divine. Comment la viande de bêtes égorgées alimenterait-elle nos principes supérieurs? Comment les issues animales seraient-elles génératrices d'éthers subtils? Poser la question c'est la résoudre car l'effet ne peut être supérieur à la cause et si la cause est vile, vil aussi sera l'effet.

Il sied donc de ne se nourrir que d'aliments purs et d'une fraîcheur totale. Ceci emporte la condamnation des procédés de conservation par le froid. Il est aisé d'observer que tout aliment qui sort du frigorifique et dont la corruption a été ainsi artificiellement retardée se décompose avec une extrême rapidité. Plus funeste encore, du point de vue qui nous occupe: les essences des aliments frigorifiés disparaissent en grande partie et chacun peut noter que les fruits sortis du frigidaire n'ont plus de goût.

Tout aliment conservé arbitrairement est amputé de ses radiations, de ses effluves et, comme tel, se trouve impropre à assurer l'alimentation de nos corps éthérés.

Aucun régime spécial n'est d'ailleurs recommandable. Tous ceux que préconise la diététique ont fait faillite, qu'il s'agisse des évaluations en calories, en protides, etc., ou des régimes dissociés. En pareille matière, il faut se garder du sectarisme qui consiste à excommunier tels aliments et à faire de tels autres un éloge excessif. Tout ce qui est frais, vivant, naturel et qui n'a pas pour source la violence est propre à constituer l'alimentation divine qui devient prière par consécration.

Il faut donc se garder des jeûnes fréquents et prolongés comme aussi des ingestions immodérées. Celui qui mange peu mais bien, qui s'alimente avec sagesse et mesure nourrit à la fois son corps et son âme dans les meilleures et les plus efficaces conditions.

Heureux ceux qui connaissent les moyens d'entretenir harmonieusement la Vie parce qu'ils auront la vie toute entière et se soustrairont à l'idée même de la mort.

PARABOLE DU DIRECTEUR D'ENTREPRISE

Le directeur d'une grande entreprise ne recrutait jamais ses collaborateurs principaux au moyen de leurs références. Si brillantes que fussent celles-ci, il les soumettait à un autre test.

Il s'informait d'abord de leur santé, sous le prétexte qu'il voulait être aidé par des hommes en possession de tous leurs moyens physiques et cela lui permettait de s'enquérir de la nature de leur alimentation.

Si celui qui briguait l'emploi se révélait gros mangeur de choses indigestes et avouait, avec fierté parfois, sa prédilection pour le gibier, les viandes, les épices et les bons vins, il l'informait que sa candidature était écartée parce qu'il ne croyait pas qu'elle fût dans l'atmosphère de sa maison.

Mais si l'impétrant confessait sa prédilection pour les nourritures saines et simples, il le prenait à l'essai et lui demandait de s'astreindre à l'alimentation de ses corps subtils. Certains s'y refusaient ou ne croyaient pas pouvoir persévérer dans cette voie. Il les évinçait à leur tour et ne gardait que ceux qui admettaient de se nourrir correctement.

«Car, disait-il, celui qui ne se nourrit que matériellement ne peut travailler spirituellement. Toutes choses sont liées.»

Et il ajoutait:

— Depuis que j'ai adopté ce système je n'ai eu que des collaborateurs idéaux.

CHAPITRE VIII

L'ABONDANCE DES BIENS

MISÈRE ET DÉCHÉANCE SONT INCOMPATIBLES AVEC LE BONHEUR DE DIEU

Il vous a été dit que vous aviez non seulement le *droit* mais encore le *devoir* d'être heureux, parce que le malheur est inharmonie alors que le bonheur est harmonie. Vous ne devez, en conséquence, favoriser que les états susceptibles de cadrer avec les buts ultimes de l'Évolution.

Dieu est la représentation parfaite du bonheur pour qui sait le comprendre. Comment accorderiez-vous le malheur de la créature avec l'idée d'un Dieu suprêmement heureux? Ceci est la négation de cela. Dieu ne peut être heureux que du bonheur de tout ce qui existe et si tout ce qui existe n'a pas le bonheur c'est que le sens de Dieu n'a pas été compris.

Dieu étant le suprême bonheur comprend toutes les bonnes choses de la Vie. C'est la raison pour laquelle la misère et la déchéance sont incompatibles avec le bonheur de Dieu. La perfection de celui-ci exige que tout soit à son image. Dieu n'est pas richesse mais abondance, expression normale de ce qui est heureux.

Il ne vous est donc pas défendu de souhaiter l'abondance des biens terrestres qui sont la nourriture, le vêtement, le toit, la lumière et la chaleur. L'abondance comprend tout ce qui contribue à une jouissance raisonnée de l'Homme, dans la mesure où cette jouissance est conditionnée par la jouissance d'autrui.

Richesse et fortune sont égoïsme nécessairement parce qu'elles représentent l'accaparement au profit d'un seul d'une part des biens communs. Aussi Jésus disait-il valablement qu'il était aussi difficile au riche de pénétrer dans le royaume des cieux qu'à un chameau de passer par le chas d'une aiguille. Et ceci est compréhensible parce que la richesse suppose l'attachement. Sans attachement le riche ne convoiterait pas le bien général pour en faire sa jouissance particulière; il ne se l'approprierait pas par des moyens souvent frauduleux; il n'emploierait pas tous ses instants à le conserver et à l'accroître; il ne s'y cramponnerait pas avec la crainte de le perdre ou de le voir diminuer.

RICHESSE ET PAUVRETÉ EN ESPRIT

Et il est bien vrai que la presque unanimité des riches sont à ce point attachés à leurs richesses qu'il leur est impossible de concevoir la vie sans elles et qu'ils tremblent sans cesse pour leur possession. Car il n'y a pas d'autre mot qui convienne mieux à la chose: le riche est possédé jour et nuit par ce qu'il croit posséder et il est l'esclave de ses biens.

Toutefois il arrive qu'à force de sagesse, ou même d'abus des jouissances, un riche se détache complètement de sa richesse et soit prêt à l'abandonner. Dans ce cas, mais dans ce cas seulement, il n'est plus riche au sens de l'Évangile mais, toujours selon la parole christique, il est devenu pauvre en esprit.

Car tout est là. Il ne vous est pas interdit de jouir des biens terrestres pourvu que vous soyez prêt, s'il le faut, à les quitter. Le riche de fait, s'il est pauvre d'intention, n'est spirituellement plus riche. Par contre, un misérable, qui ne possède qu'un meuble ou qu'une chaumière, s'il y est démesurément attaché, peut être considéré comme riche en esprit.

Il en est tout autrement de l'abondance parce que, tandis que la richesse est uniquement faite de jouissances matérielles, l'abondance représente d'abord une jouissance du coeur. Aimer tout ce que l'on a aboutit, pour les coeurs purs, à avoir tout ce que l'on aime.

COMMENT SE RÉALISE L'ABONDANCE

L'abondance s'applique aux moindres choses de la vie comme aux plus grandes et celui qui la pratique ne trouve pas de limite à son champ d'expérimentation. Il est constant que l'homme ou la femme résolus à vivre dans l'abondance rencontrent partout celle-ci, même dans le dénuement formel, par opposition à ces riches qui, pourvus d'argent, de domaines, de yachts, de serviteurs, etc., se sentent affreusement misérables et donneraient, comme tel roi du pétrole, leur fortune pour un amour vrai ou seulement pour un estomac normal.

On n'imagine pas ce qu'un spécialiste délibéré de l'abondance peut tirer de joie d'un mets simple, d'une humble fleur, d'un chant d'oiseau, d'un rayon de soleil. Cela parce que, bénissant dans son coeur ce qui lui est offert, il magnifie par l'intention l'objet le plus vulgaire et la circonstance la plus banale.

L'abondance inclut tout ce qui vous est indispensable pour être heureux: santé, succès, foi, euphorie, enthousiasme, amour. L'abondance exclut tout ce qui non seulement ne vous est pas indispensable mais encore vous empêche inévitablement d'être heureux.

On peut dire aussi que la richesse est un état extérieur, donc soumis aux vicissitudes et au déterminisme de l'heure et des circonstances alors que l'abondance est un état intérieur qui dépend de votre délibération. N'importe qui ne peut atteindre la richesse; n'importe qui peut atteindre l'abondance. Là seulement s'exerce votre libre-arbitre puisque celui-ci vous rend maître de conférer à la vie le sens que vous désirez.

Entre avoir et jouir il y a véritablement un abîme. Qu'importe d'avoir plus si l'on n'en jouit pas! Et qu'importe de ne pas tout avoir si l'on jouit du peu qu'on a!

En somme, il vous est demandé de ne rien posséder matériellement sous peine d'être frustré dans la matière mais de tout posséder spirituellement, ce qui confère la certitude d'être abondant en esprit.

LA FACULTÉ D'INTERPRÉTATION EST LE PLUS GRAND DON DE L'HOMME

Si vous avez l'intelligence d'extraire de la vie la plus humble et la plus banale tout ce qu'elle renferme de jouissance et d'abondance nul n'égalera vos sources de bonheur.

Le malheur, en effet, vient de ce que vous promenez un regard inattentif sur le monde des choses et que vous n'apercevez pas, justement parce qu'elles sont trop petites, les mille splendeurs au milieu desquelles vous vous trouvez.

Vous êtes semblable à ces gens atteints de myopie qui, regardant l'herbe des prés, n'y voient qu'un tapis confus et vaguement polychrome, alors qu'une vue perçante permet de distinguer des centaines de plantes et autant de vies animales dont certaines sont de petits chefs-d'oeuvre de la création. Ainsi de deux personnes qui passent au même endroit l'une atteint le comble de l'intérêt et de la jouissance tandis que l'autre n'y trouve que monotonie et ennui.

La preuve que la valeur des choses ne réside pas en elles c'est que le même objet peut être l'occasion d'indifférence ou de répulsion pour celui-ci et l'occasion de curiosité et d'attachement pour celui-là. Il n'y a donc pas de qualité intrinsèque des événements, des êtres et des choses mais uniquement valeur d'interprétation des événements, des êtres et des choses en soi.

La faculté d'interpréter intérieurement ce qui est extérieur à soi est le plus grand don que le Ciel pouvait conférer aux hommes car elle peut tout changer en eux et même autour d'eux. Mais pour un qui la reconnaît et sait s'en servir combien s'avisent de l'existence de cette baguette magique, grâce à quoi une foule de gens ont modifié leur vie et introduit l'aise où était la contrainte, la liberté où était l'esclavage, la joie où était le chagrin!

Et là, nul ne peut rien pour vous que vous. Aucune intervention extérieure ne peut remplacer la détermination prise en vous-même. Tout au plus pouvez-vous, dans les pages de ce livre ou d'un autre, recueillir l'incitation nécessaire à changer de système vital.

Pour marcher dans la voie fructueuse des réalisations, vos propres pieds, quelles que soient leurs forces ou leurs faiblesses, sont absolument indispensables, c'est-à-dire que le meilleur champion du mille ne peut rien pour vous aider. Un seul pas dans la compréhension de vos intérêts véritables vaut mieux que cent kilomètres parcourus au moyen des jambes d'autrui. Autrui, de son côté, avancera davantage en faisant lui-même un mètre que s'il vous demande de parcourir des milliers de lieues pour lui.

L'ABONDANCE EST ILLIMITÉE

L'abondance n'et pas un pays restreint, comme certains pourraient le croire. C'est le plus vaste domaine qui puisse être proposé à l'Homme pour son contentement.

Dans cette voie toutes les ambitions vous sont permises car on n'empiète pas sur les autres êtres. Pendant qu'en matière de richesse monnayable vous ne pouvez rien acquérir qu'aux dépens d'autrui et que le moindre de vos gains s'édifie sur la peine du prochain, il vous est loisible de tout souhaiter et, par conséquent, de tout avoir au royaume de l'abondance puisque vous ne tirez celle-ci que de vous-même et de Dieu.

Dieu est la source éternelle et inépuisable de l'abondance. C'est vous dire que, si grands que soient votre désir d'accroître la vôtre et l'ardeur que vous mettez à la centupler, l'abondance divine non seulement ne diminue pas d'une ligne mais encore son flot devient de plus en plus intense à mesure que vous y puisez.

Ne perdez donc pas votre temps à caresser de petites ambitions et n'utilisez pas la baguette féerique pour de médiocres choses. Ne mesurez pas vos entreprises spirituelles à la taille physique que vous avez. Nous vous montrerons bientôt que vous êtes beaucoup plus grand que vous n'êtes, autrement dit infiniment supérieur à ce que vous croyez.

Ceci dit et pour résumer les pages précédentes, sachez que votre évolution intérieure, une fois accomplie, vous serez surpris de constater que les événements extérieurs auront évolué, eux aussi.

Bien peu sont prêts à admettre qu'une simple interprétation spirituelle soit capable de transformer autre chose que l'esprit. Qu'ils se détrompent! Et ce qui suit est basé sur des milliers d'expériences individuelles. Quand l'interprétation en esprit a modifié la Vie en vous, vous devenez des ouvriers conscients de la Vie. Et dès lors que vous prenez conscience de participer délibérément à la diffusion harmonieuse de la Vie tout se met à évoluer autour de vous harmonieusement.

PARABOLE DU JARDINIER

Cet homme, appelons-le X, était parti d'une condition modeste. Par son travail, sa ténacité, son intelligence, il parvint à une haute situation. La puissance dont il disposait, grâce à ses fonctions, ne lui suffit pas et il désira les richesses. À mesure qu'il acquérait celles-ci son insatisfaction grandit avec elles car il vit qu'elles ne lui donnaient pas le bonheur. Il chercha, dès lors, celui-ci dans les jouissances charnelles. Il s'entoura d'amis et d'amies de même sorte, goûta aux délices de la grande cuisine, acheta des tableaux chers. Mais plus il cherchait à jouir matériellement, plus il souffrait moralement. Dès qu'il se retrouvait seul avec lui-même, il avait horreur de son existence et s'effrayait du vide qu'il sentait en lui.

Après avoir envisagé de mettre fin à ses jours pour se soustraire à ce goût de cendre qui souillait tout ce qu'il portait à ses lèvres, il en vint à faire une cure de repos dans un établissement monastique. Après une semaine de silence et de frugalité, il commença à regarder la vie avec d'autres yeux. Tout ce qu'il possédait lui sembla néant et il se demanda comment il avait pu se méprendre sur la valeur réelle des choses et amasser du cuivre pour de l'or.

Au cours de ses méditations, il rencontra le jardinier du monastère, qui bêchait allègrement la terre et montrait sur son visage tant de joie qu'il lui demanda le secret de sa félicité.

— C'est, dit l'humble convers, parce que je ne possède rien en propre et que tout étant à Dieu je possède tout ce que Dieu a.

Cette réponse mit le comble à l'étonnement de X. Il prit l'habitude de converser avec ce jardinier et lui raconta toute sa vie.

— Mais, ajouta-t-il, je ne regrette rien de mes expériences car elles m'ont conduit à la vérité. Je sais maintenant ce qui vaut la peine d'être aimé et ce qui ne vaut pas la peine qu'on le regrette.

Alors le jardinier murmura cette phrase, à quoi X pensa tout le reste de sa vie:

— Vous avez pris la route longue. Il y a pourtant un chemin court.

La santé, ce n'est pas d'avoir un bon médecin, c'est de n'être pas malade.

CHAPITRE IX

LA SANTÉ

LE DÉSIR DE DIEU EST QUE VOUS SOYEZ SAIN

Dieu ne désire pas que vous soyez en mauvaise santé et, contrairement à la croyance de beaucoup, ne s'amuse pas au jeu cruel de vous infliger la maladie à titre d'épreuve. La maladie est un «raté» du moteur humain et, comme tel, a son utilité. Elle montre que tout ne va pas d'une manière parfaite et qu'il faut vérifier le mécanisme, l'allumage et la carburation.

Quand Dieu créa l'univers il n'eut pas la prétention de le faire parfait d'un coup. Il jugea seulement que c'était un bon instrument de manifestation et il mit l'homme à la tête des choses créées pour que celui-ci l'aidât à les faire progresser. Dieu est parfaitement conscient des imperfections du monde et, bien loin d'en tenir rigueur à ce monde, ce qui serait injuste, il est constamment penché sur lui pour l'améliorer.

L'intention ardente de Dieu est que vous viviez dans la joie, la paix et l'abondance. Or vous n'auriez ni les unes ni les autres si vous n'aviez pas la santé. Par conséquent il fait sans cesse effort pour vous la procurer, au moyen de l'air, du soleil, de la nourriture, qui seraient tous à votre disposition d'une manière gratuite si l'Homme ne s'entêtait à les vendre et à les accaparer.

LA GRÂCE VITALE

En matière de santé, nul besoin d'être grand clerc pour constater qu'une force vitale inconnue opère invisiblement et sans trêve un travail de reconstitution de vos cellules et de votre sang. C'est là la besogne de Dieu, acharné à cicatriser vos blessures, à remettre en route vos organes, à discipliner vos nerfs. Ce n'est pas de sa faute si vous mangez ou buvez trop, si vous abusez de vos fonctions vitales, si vous vous exposez aux traumatismes, si vous négligez votre entretien.

Mais, même dans ce cas, la Vie de Dieu reprend inlassablement son travail de reconstruction, d'amélioration et, quand il s'agit d'états dits incurables, amène l'être vivant à s'adapter à son infirmité, à sa souffrance de façon qu'il puisse continuer à vivre et même à être heureux. C'est surtout pour l'infirme-né ou l'invalide par accident que Dieu manifeste sa préférence en le dotant d'une sensibilité spirituelle plus grande que les autres et en affinant sa compréhension. Si ces êtres, apparemment disgraciés par le sort, ont conscience de leurs possibilités morales et acceptent leur condition en s'y adaptant au lieu de s'en affliger, leur évolution dépassera de loin celle de leurs semblables doués d'intégrité physique et que leur puissance organique maintient dans les incompréhensions de la chair.

Mais même le plus malade ou le plus infirme des hommes a le pouvoir d'améliorer sa disgrâce et d'en tirer du bonheur. Il ne lui faut pour cela que la bénir du fond du coeur comme un moyen d'élévation plus rapide et de rechercher les grandes et petites joies que la vie peut comporter.

L'ORGANISME SPIRITUEL NE PEUT ÊTRE DISSOCIÉ DU CORPOREL

À plus forte raison celui qui ne souffre pas ou ne subit point de diminution de ses capacités corporelles doit être reconnaissant de cet état physiquement privilégié. Mais le propre des gens en bonne santé est de l'ignorer et de considérer cela comme une chose si naturelle qu'ils n'éprouvent nul besoin d'en avoir de la gratitude et de remercier. Pour comprendre leur félicité organique ils ont besoin que la souffrance intervienne et, les rendant plus humbles, leur fasse mesurer la précarité du bonheur qu'ils ont. Pour connaître pleinement la douceur de l'euphorie il est indispensable que, de temps à autre, on en touche les limites et en éprouve la fugacité.

Sous cette unique réserve le devoir d'être heureux vous oblige strictement à rechercher la santé et à fuir les occasions de maladie et, par suite, à avoir soin de l'organisme qui vous a été confié.

Comme il a été dit précédemment et comme il sera encore montré par la suite, le domaine humain qui vous est propre est loin de se borner au corps physique et à ses attributs formels. Vous êtes non seulement un corps mais aussi un mental, lequel se divise en conscience et en subconscience, plus une région morale qui les domine, plus une partie spirituelle qui relie et conditionne le tout.

La santé de l'un ne va pas sans celle de l'autre et il serait vain de vouloir la santé du corps si l'on ne recherchait en même temps celle de l'âme et inefficace de tabler sur la matière sans se préoccuper de l'esprit.

LE VRAI SENS DE LA MORTIFICATION

La santé corporelle est liée à une sage administration de vos organes dont aucun ne doit être surmené ou fatigué mais dont chacun doit fonctionner d'une manière suffisante et normale.

C'est une des raisons pour lesquelles il faut répudier les mortifications systématiques quand elles prennent l'apparence de châtiments corporels. Ces procédés monastiques ne conviennent, et encore! qu'à certains êtres d'élite qui, à force d'abolir les fonctions du corps, tentent d'ouvrir prématurément les portes de l'esprit. Chez tous les autres ils ne servent qu'à refouler l'instinct naturel et, par sa contention arbitraire, à l'exciter davantage et à en favoriser l'explosion. De véritables désastres ont été enregistrés chez ceux qui, inconsidérément, ont enfermé le loup dans la bergerie où, bien loin de se contenter d'immoler de loin en loin une victime unique, il égorge toutes les brebis. Vous avez à votre portée toutes sortes de mortifications morales dont aucune n'est nuisible et qui, toutes, concourent avec efficacité à votre avancement. Il est autrement méritoire de freiner une colère, de réprimer une jalousie, de réfréner sa gourmandise, de secouer sa paresse, de maîtriser son orgueil.

La créature humaine est faite pour jouir sereinement et modérément de tous les biens que lui offre la Nature, comme des facilités que lui présente un certain stade de civilisation. Elle n'est pas faite pour jouir fièvreusement et inconsidérément de tout ce que la Terre et la civilisation lui présentent. Dans l'ordre naturel, comme dans l'ordre industriel, il existe de nombreux poisons.

SI VOUS EN USEZ NOBLEMENT TOUS VOS ORGANES SONT NOBLES

Vous n'avez pas à faire de discrimination entre vos régions corporelles. Il ne vous appartient pas de décider que vos attributs physiques sont, les uns nobles, les autres honteux. Il n'y a aucune noblesse spéciale à avoir des yeux et une bouche; il n'y a aucun opprobre particulier attaché aux organes génitaux. C'est le fait même de cette distinction qui crée, chez tant d'hommes et de femmes scrupuleux, un état anormal de la conscience et développe en eux, alors qu'elle ne devrait pas y être, la notion stérilisante du péché.

Le péché, s'il y en avait un, serait de discuter l'oeuvre du Créateur et de juger telle partie de cette oeuvre bonne et telle autre mauvaise. Comment ne pas être frappé de l'inconscience de ceux qui se croient plus avisés que Dieu?

Chaque fonction organique vous a été donnée, non dans un but restreint, mais pour une foule de buts qu'il sied de découvrir les uns après les autres. La bouche sert à nourrir le corps mais aussi à alimenter les régions subtiles; elle est le lieu d'émission de la parole, en même temps que le siège du baiser. Le nez sert à deux sortes de respirations: l'une qui renouvelle le sang, l'autre qui assimile l'influx prânique; il vous révèle les suavités du monde et vous garde des contacts impurs. L'ouïe vous permet d'entendre les harmonies de l'univers et aussi d'éviter le désordre des vibrations mauvaises; elle vous fait goûter le chant des oiseaux, le rire des innocents, le verbe de vos semblables, la musique de Mozart et de Beethoven. Les organes sexuels, de leur côté, n'ont pas qu'une mission reproductrice. Leur rôle essentiel est de générer constamment la vie et d'irriguer sans cesse votre organisme de l'électrisme premier. Il est non moins certain qu'en dehors de tous ces buts l'administration divine en poursuit d'autres qui vous échappent et n'ont rien à voir avec l'enseignement logique des humains. Mais vous ne les comprendrez que petit à petit, à mesure que vos yeux s'ouvriront à la lumière spirituelle et que vous évoluerez.

LE CLÉMENT TRIBUNAL DE DIEU

Mangez avec plaisir mais ne soyez pas gourmand. Buvez avec satisfaction mais ne soyez pas ivrogne. Exercez votre cerveau et vos muscles sans aller jusqu'au surmenage et en vous gardant de l'esprit de compétition. Servez-vous prudemment et intelligemment des organes de votre sexe mais ne tombez pas dans la débauche ni même dans l'abus. Dans tous les cas, que votre jouissance ne soit jamais acquise aux dépens de la paix des autres! Que jamais la peine d'autrui ne soit la rançon de votre plaisir!

Que celui qui peut sans péril être continent ou abstinent le fasse! Que celui qui ne le peut sans danger se libère avec modération!

La loi humaine est dure aux fautes des hommes et ne tient pas compte des cas d'espèce. La loi divine est douce aux erreurs des hommes parce qu'elle s'applique idéalement au problème de chacun. Au regard du Code l'Humanité renferme des majeurs et des mineurs que la Justice traite de manière différente. *Le Tribunal de Dieu est toujours un tribunal pour enfants.*

HYGIÈNE MORALE

Mais votre santé physique, aussi nécessaire qu'elle soit, s'avère encore moins précieuse que votre santé mentale.

À mesure que l'Homme s'affine et se civilise matériellement, vous observez une hygiène corporelle qui vous met à l'abri de certaines contagions. Toutefois et en raison même de cette extrême civilisation formelle votre hygiène mentale est de plus en plus défectueuse et fort inférieure à celle des siècles passés.

De nouveaux moyens de transport rapide vous donnent l'accès des cinq continents et les peuples s'interpénètrent. Le système des échanges, excellent en lui-même, favorise l'infiltration des idées et des moeurs. De nouveaux procédés d'information instantanée portent à vos yeux et à vos oreilles les faits divers du monde entier. De nouvelles expressions d'art, les unes bonnes, les autres mauvaises, ensemencent votre jugement en bien et en mal. De nouvelles techniques vous apportent chaque jour le meilleur et le pire. De toutes parts votre esprit est heureusement ou dangereusement sollicité.

Or, nous vous le demandons, combien d'hommes sont capables d'instituer une discipline de leurs pensées, de faire le tri entre les informations vraies ou fausses, de se garder moralement, de protéger leur sanctuaire intérieur? Les plus intelligents paient tribut malgré eux, quoique partiellement, aux cent mille bruits et visions qui leur viennent des quatre coins du monde. Que dire des hommes et des femmes ordinaires? Que dire des faibles qui tournent à tous les vents?

Cependant il est de toute nécessité que vous aussi sachiez épurer le flot des impressions modernes et vous y soustraire, aussi souvent que possible, soit par la retraite et l'évasion dans la Nature, soit par l'admirable procédé qui vous sera indiqué plus loin.

Il est d'une importance capitale que vous lisiez le moins possible de journaux, que vous n'écoutiez pas les bavardages de la radio, parce que vous êtes noyé dans un flux d'opinions et de nouvelles contradictoires et que, sans vous en apercevoir, vous devenez le jouet de l'information et perdez toute personnalité. Il est de toute nécessité aussi que vous cessiez de parler pour ne rien dire parce qu'alors vous autorisez autrui à faire de même et que vous échangez des propos oiseux. Autant il est salutaire de savoir se détendre et s'évader dans les jeux et dans le rire, autant il est funeste de proférer tout le jour des phrases vides, de tenir des conversations vulgaires avec toutes sortes de gens.

L'immense majorité des hommes sont privés de vie intérieure. On dirait qu'ils ont peur de se retrouver seuls avec eux-mêmes et qu'ils passent leur temps à se fuir. D'où ce besoin fiévreux de fausse activité, cette agitation extérieure qui les laisse toujours plus débiles et toujours moins satisfaits. Cela est dû à une conception erronée de la Vie, laquelle est au-dedans et non au-dehors. Cela tient aussi à ce que philosophie et religion ont semé la panique chez l'Homme en lui représentant son indignité congénitale et en lui inspirant la crainte de Dieu.

HYGIÈNE SPIRITUELLE

Si ceux qui éprouvent ces sortes de peur connaissaient la Divinité admirable, s'ils soupçonnaient la richesse d'Amour qu'ils recèlent en eux-mêmes et les trésors qui leur sont offerts, toute leur existence serait changée parce qu'ils adoreraient ce qu'ils brûlent et brûleraient ce qu'ils ont adoré.

Hygiène corporelle et hygiène mentale sont les deux premiers échelons d'une vie complète. Un dernier échelon reste à gravir, celui de l'hygiène spirituelle et cela découle de ce qui vient d'être dit. Sans hygiène spirituelle il ne peut y avoir d'hygiène mentale. Sans hygiène mentale à quoi sert l'hygiène physique puisque le conscient est maître de l'inconscient?

Quand vous aurez réalisé votre autonomie spirituelle vous verrez combien l'hygiène mentale deviendra facile et comment celle-ci vous régira physiquement. Or cette hygiène spirituelle, qui importe tant, découle nécessairement de la vie-prière et de l'enseignement que vous avez reçu dans les chapitres précédents. Lorsque vous en aurez pris l'habitude, non pas quotidienne mais de chaque heure, elle vous deviendra aussi indispensable que l'hygiène physique. Vous ne pourrez pas rester une minute sans avoir la sensation d'être lavé.

Se sentir net de corps, de pensée et d'esprit est le sentiment le plus vif de libération que puisse éprouver un homme. Il est alors soustrait aux doutes, aux peurs, aux défaillances qui sont le lot de presque tous. Il a de plus l'impression de ne pas faire son chemin seul mais d'être accompagné sur la route invisible, et le sommet de la montagne, qui lui paraissait d'abord inaccessible, se rapproche de plus en plus.

PARABOLE DE L'ERMITE

Un ermite vivait dans le désert où il se nourrissait de racines. Son corps était devenu squelettique et il marmonnait des prières tout le jour. Pour se rapprocher de la perfection il se frappait à coups de lanière, couchait sur des cailloux et se mesurait la fraîcheur d'une calebasse remplie d'eau.

Tant de privations et de sacrifices n'avaient abouti qu'à susciter en lui un besoin ardent de jouissances corporelles. Sans cesse il pensait aux choses délectables et ses papilles se hérissaient de soif.

Des gens de la ville venaient parfois de loin pour le voir et réveillaient en lui des convoitises. Il affectait une intense réprobation de la femme alors qu'il la désirait du fond du coeur.

Son caractère s'aigrit et il détesta, au fond, sa vie présente mais il y persista par système et par orgueil.

Un jour, un ami qu'il avait connu jadis alla lui rendre visite et, comme il avait une grande expérience des hommes, il n'eut pas de peine à découvrir les plaies secrètes de l'anachorète et les lui étala au grand jour.

— Tu fais erreur, lui dit-il, en violentant la Nature. Tu es dans la force de l'âge et tes privations renforcent tes désirs.

— Justement, répliqua l'ermite. C'est ce refoulement des choses vaines qui est souhaitable.

— Oui, dit l'autre, si cela pouvait tuer le désir. Mais tu n'es de glace qu'extérieurement alors qu'en toi couve l'incendie.

— Cependant, dit l'ermite, le détachement n'est-il pas le suprême but?

L'ami le regarda longtemps et dit avec lenteur ces paroles:

— Comment pourrais-tu te détacher des êtres et des choses si tu ne leur as pas été préalablement attaché?

Ces mots frappèrent vivement l'esprit de l'ermite. Il demanda à les méditer dans le silence de la nuit.

Le lendemain, son ami s'enquit de sa détermination. Et l'ermite lui dit qu'il le suivrait à la ville. Toutefois il s'écria amèrement:

J'ai donc perdu plusieurs années de ma vie. C'est en vain que j'ai souffert de la solitude et enduré tant de privations.

L'ami lui prit la main.

— Ne regrette pas, dit-il, ce qui a été mais viens avec moi chez les hommes. Si tu sais être pauvre dans la richesse, patient dans la hâte, courageux dans la paresse, modéré dans l'abus, doux dans la colère, compréhensif dans l'incompréhension, tu te seras imposé les plus grandes mortifications de la vie et tu n'auras pas cessé d'être ermite.

— Comment cela?

— Car ton ermitage sera en toi.

Vous pouvez prétendre à tout si votre but est conforme aux plans divins.

CHAPITRE X

LE SUCCÈS

LE SUCCÈS EST UN STADE DE L'ABONDANCE

Pourquoi ne rechercheriez-vous pas le succès? C'est un des stades de l'abondance. Et nul ne vous défend d'accéder à cette forme du bonheur.

Le tout est de s'entendre sur la signification que vous donnez à ce mot et à définir ce qu'on entend par réussite. Si, pour vous, la réussite consiste à dominer les autres et à les écraser; si, pour vous, la réussite consiste à accaparer les biens de ce monde et à vous en réserver la jouissance; si votre succès doit être obtenu par le sang et les larmes d'autrui et la réussite par sa peine et son exploitation, mieux vaudrait pour vous ne jamais réussir dans aucune de vos entreprises et ne jamais connaître le succès. Car, tôt ou tard, ce que vous appelez succès ou réussite se retournera contre vous et se soldera par votre propre malheur.

Mais si vous pensez que le succès est le fruit d'un honnête labeur, d'une intelligence éveillée, d'une initiative bienfaisante; si vous croyez que la réussite est destinée à récompenser les plus compréhensifs et les meilleurs, alors n'hésitez pas et foncez hardiment vers des réalisations heureuses car cette sorte de succès et ce genre de réussite sont conformes à l'harmonie universelle et contribuent au bonheur de tous.

Il est aussi légitime de réussir, même matériellement, que d'être en bonne santé physique, à la condition expresse que la réussite matérielle soit subordonnée à la réussite spirituelle qui l'ordonnera et la régira.

NE COMMENCEZ PAS LA MAISON PAR LE TOIT

Ne faites donc pas comme ces gens privés de sens qui se disent: «Commençons par gagner beaucoup d'argent; édifions d'abord une entreprise prospère; jouissons des choses et des hommes; il sera temps ensuite de nous occuper du spirituel.» Ne voyez-vous pas que de tels propos vicient leurs projets dans leur essence puisqu'au lieu de poser les fondations de la maison ils la commencent par le toit? Mais vous, qui savez maintenant, posez votre construction individuelle sur le roc, asseyez solidement votre édifice vital sur cette base et n'élevez ses différents étages qu'au fur et à mesure en utilisant la sagesse du niveau d'eau et la rectitude du fil à plomb.

Sous les réserves ci-dessus, faites produire à la matière tout ce que l'ingéniosité de l'Homme peut en attendre. Collaborez avec la Nature sans chercher à la violenter. En recherchant votre propre succès préoccupez-vous d'obtenir le succès des autres. Que votre abondance vous serve à faire de plus en plus d'abondants! Ne travaillez que pour la paix, le vêtement, la saine nourriture, l'embellissement de la demeure, pour la satisfaction honnête de la vue, de l'ouïe, de l'odorat et du tact. Fuyez tout ce qui est de nature à alimenter les entreprises de guerre, de trouble, d'intempérance. Employez votre activité à générer plus de vie et refusez-la aux industries de mort.

Le véritable succès est celui qui fait de votre réussite celle de ceux qui vous entourent. Un bon ouvrier ne doit avoir en vue que le succès de l'entreprise à laquelle il participe; un bon patron ne doit avoir en vue que le succès de son ouvrier. Par là leurs intérêts tendent à être les mêmes, sans qu'il y ait, de part et d'autre, sentiment d'infériorité ou de supériorité.

COMMENT RÉUSSIR MATÉRIELLEMENT

Mais comment réussir matériellement par la voie spirituelle? C'est bien simple. Ne faites rien uniquement par vous-mêmes. Faites tout avec l'aide de Dieu.

Quand vous êtes seul avec lui, par-delà la foule des hommes, et qu'il vous écoute avec attention et indulgence, comme un père son enfant, exposez-lui votre but, le dessein que vous poursuivez, le projet qui vous intéresse. Et laissez mûrir votre idée dans l'Idée divine jusqu'à ce que la réponse vous vienne par les hommes ou par les faits. Si votre condition est telle qu'il a été dit plus haut et si elle s'harmonise avec le bien général que l'évolution universelle se propose, tous les éléments du succès, tous les moyens de la réussite vous seront fournis en temps et lieu.

Par le seul fait de cette consécration de vos oeuvres à l'Esprit une action en profondeur se produira dans ce qu'on appelle les «impondérables», c'est-à-dire dans le déterminisme des circonstances auxquelles vous êtes confronté.

DÉTERMINISME ET LIBRE-ARBITRE

On a beaucoup parlé de ce déterminisme, tantôt pour l'affirmer, tantôt pour le nier. On a beaucoup discuté votre libre-arbitre, les uns pour en faire l'unique moteur de votre conduite, les autres pour le subordonner totalement aux événements.

La vérité est qu'un certain déterminisme existe réellement et que, la plupart du temps, l'Homme est mené par d'autres volontés que la sienne. Mais la vérité est aussi que le libre-arbitre existe réellement et qu'il a la faculté de s'opposer aux circonstances extérieures comme aux vies étrangères à lui.

Il est non moins vrai qu'il n'y a ni déterminisme total ni libre-arbitre intégral et que rien n'est plus commun que les hommes presqu'entièrement déterminés ni plus rare que les hommes disposant de presque tout leur libre-arbitre. La proportion varie considérablement d'un homme à un autre et elle est, d'une manière constante, en fonction de l'évolution de chacun.

N'allons pas plus loin dans cette sorte d'explication et disons seulement que la preuve est aisée à faire. Pour cela nous prendrons un exemple concret.

Il est bien certain que celui qui sort de sa maison en projetant d'aller rendre visite à un ami est mû, après la décision initiale, par le déterminisme des circonstances rencontrées en route. Il peut être détourné de son intention première par un accident, la rencontre d'un tiers, la vue d'un livre ou d'un objet dans une vitrine, etc. etc., tous événements susceptibles d'engendrer en lui d'autres déterminations que celle de son départ.

CE QUI EST DÉTERMINÉ ET CE QUI EST LIBRE EN VOUS

Mais quand vous vous retranchez volontairement de l'extérieur et, par délibération intime, descendez au plus profond de vous-même, lorsque vous pénétrez, seul et en dehors de toute circonstance, dans le mystère de votre âme pour y établir le contact avec Dieu, plus rien de vous n'est déterminé. Pourquoi? Parce qu'il n'y a que votre MOI qui paie tribut au déterminisme, alors que votre JE seulement, qui, lui, échappe entièrement au déterminisme, peut entrer dans le Saint des Saints. Votre librearbitre en esprit décide le succès et affirme la réussite. De cette décision et de cette affirmation vont découler l'ordre d'événements extérieurs et le jeu de circonstances formelles qui concourent à la réalisation.

Comprenez-vous maintenant la fréquence des mécomptes et des déboires de toute entreprise uniquement fondée sur une délibération et une interprétation du MOI? Le MOI est tenu d'obéir au JE alors que le JE n'est nullement tenu d'obéir au MOI. C'est toute l'explication de la différence des sorts et de l'incertitude des conjonctures dans un monde où le JE est libre et le MOI déterminé.

PARABOLE DE L'OUVRIÈRE

C'était une ouvrière à qui rien n'avait réussi. Elle était pourtant d'une rare conscience professionnelle et son adresse manuelle était fort grande. Mais les maisons de confection pour lesquelles elle travaillait voulaient faire de gros bénéfices à ses dépens. Le salaire quotidien qu'elle touchait pour un labeur ininterrompu n'arrivait pas à la faire vivre d'une manière convenable, elle et son enfant.

Comme elle était scrupuleuse et même fort avancée en esprit, elle n'osait demander à Dieu autre chose que des grâces spirituelles. Il lui semblait que solliciter des choses matérielles était indigne d'elle et de Dieu.

Ce n'est que poussée par la nécessité qu'elle eut recours à l'Instance Suprême. Elle pria ainsi:

— Père, je ne t'ai jamais rien demandé de formel. Mais maintenant je crains pour le pain de mon enfant et pour le mien. Puisque cela est dit dans la prière dominicale, tu ne m'en voudras pas de t'appeler à mon secours.

Elle n'était pas autrement rassurée sur la manière dont Dieu accueillerait sa requête. Or, le lendemain même, elle reçut la visite d'une exportatrice qui connaissait son genre de travail. Celle-ci lui proposa de fabriquer dorénavant pour elle, et les conditions qu'elle offrit furent telles qu'une demi-aisance entra dans la maison.

Frappée par cette réponse immédiate de Dieu, elle ne craignit plus de prier pour les circonstances matérielles de sa vie. Et voici que, peu à peu, elle parvint à monter une affaire personnelle, d'ouvrière devint patronne et vit affluer le succès.

CHAPITRE XI

LE SECRET DE LA CHAMBRE DU ROI

COMMENT SE POSE LE PROBLÈME

La raison principale de l'infériorité dans laquelle se sentent à peu près tous les hommes et toutes les femmes, en dépit de l'assurance apparente manifestée par quelques-uns, réside dans ce fait que, si élevée ou florissante que paraisse, aux yeux du commun, la situation d'une personne, celle-ci dépend toujours de contingences multiples et des êtres qui gravitent à l'entour.

Cela est vrai aussi bien pour le tâcheron, dont la subsistance dépend de ceux qui l'emploient, que du dictateur ou souverain absolu qui ne sait jamais lequel de ses collaborateurs l'évincera. Nous dirons même que plus l'individu occupe une position enviée, plus le sentiment de sa précarité et de sa solitude lui devient âpre et cruel.

Chez tous existe une impression d'insécurité et de subordination due à ce que, dans la société actuelle, chacun de ses membres ne pense et n'agit qu'en fonction de ses besoins matériels et des préoccupations de même nature des autres hommes. Nous verrons plus loin que de cette erreur, qui néglige les données les plus importantes du problème, découle nécessairement l'impossibilité de résoudre celui-ci puisqu'en fait c'est le problème de l'Homme tout entier.

LA SOLUTION EXISTAIT DÉJÀ

Dès lors les esprits avisés se trouvent amenés à rechercher, en dehors des moyens usuels, la manière de réussir une vie qui, d'avance, leur apparaît manquée s'ils se bornent à la conduire selon les procédés habituels.

Car il est indéniable que des hommes et des femmes, en nombre toujours croissant, s'éveillent à la connaissance intérieure et, après un temps plus ou moins long de tâtonnements et de recherches, voient enfin apparaître la lumière au bout de leur tunnel.

Ce que ceux-là ont fait, qui vivent intégralement et harmonieusement leur vie, vous aussi vous pouvez le faire et sans passer par leurs tergiversations.

Combien auraient aimé connaître ce qui va vous être révélé, dans le temps où ils désespéraient de leur route, s'épargnant ainsi des années de doute et d'hésitation! Et pourtant ce secret de la Chambre du Roi est ouvert à tous depuis vingt siècles. Jésus l'avait confié à ses disciples pour qu'ils puissent l'enseigner à tous.

Comment se fait-il donc que la majorité des chrétiens ignore ce passage des Écritures ou, le connaissant, n'en voie que la lettre sans en dégager l'esprit? C'est sans doute parce que le propre de l'Évolution est de contraindre celui qui cherche à un effort constant de compréhension.

Nous avons pensé qu'il nous appartenait de vous éclairer sur l'immense pouvoir qui est en vous-même et qui peut faire de vous une créature privilégiée, échappant aux contingences du formel.

FORMULE DE L'UNITÉ

De quelle façon pouvez-vous échapper à la violence des courants sociaux, à la tyrannie des circonstances, à la brutalité des phénomènes, à la contrainte des êtres et réaliser votre paix intime en acquérant un sentiment de supériorité?

Relisez seulement le verset 6 du chapitre IV de Matthieu où il est dit:

«Quand tu pries, entre dans ta chambre, ferme ta porte et prie ton Père qui est là dans le lieu secret; et ton Père, qui voit dans le secret, te le rendra.»

Dans ces quelques lignes, d'apparence si simple, est renfermée la solution intégrale de votre problème vital.

Jusqu'à présent vous êtes resté au dehors de vous-même, comme un pauvre à la porte d'un riche, attendant qu'on vous jette, à la façon d'une aumône, quelques miettes du festin. Vous ignoriez que le riche de l'intérieur c'était vous et qu'il y a identité entre le pauvre sur qui vous vous affligiez et le riche qui suscitait votre envie. Vous n'aviez pas songé à réunir les deux moitiés de vous-même et à réaliser ce qui est le but essentiel de toute vie: votre unité.

Mais, à présent, vous êtes éclairé et votre persévérance serait sans excuse puisqu'il vous suffit d'entrer par une porte ouverte et de pénétrer dans votre réduit secret.

Cette chambre intérieure dont parle le Christ dans son Évangile est le seul endroit où ni la tyrannie extérieure, ni la malice d'autrui, ni la police, ni le fisc ne peuvent pénétrer. Là, vous êtes maître absolu, gouverneur total de vos pensées. Là seulement vous jouissez de tout votre libre-arbitre et de toute votre liberté.

ICI, TOUS LES HOMMES SONT ÉGAUX

Prenez donc l'habitude de vous y enfermer chaque jour et de tourner votre clé dans votre serrure, de manière à mettre un écran opaque entre vous et le reste de l'univers.

C'est seulement lorsque vous agirez ainsi que vous entrerez en contact direct avec le Père qui vous y attend de toute éternité. À ce moment plus rien de la société humaine ne compte pour vous. Vous êtes délivré des influences extérieures. Vous cessez d'avoir une existence formelle. Vous ne vivez plus qu'en esprit. Alors vous aurez la révélation de ce que vraiment vous êtes, quelqu'un d'absolument autre que celui que vous imaginiez.

En dehors de là vous n'êtes peut-être qu'un humble ouvrier ou un artisan modeste, un fonctionnaire obscur ou un commerçant plein de souci. Vous pouvez n'être aussi qu'un industriel obsédé, un administrateur que ses responsabilités écrasent, un politicien qui tâtonne, un grand de ce monde obnubilé par sa grandeur. Mais, au-dedans de vous, vous êtes tous les mêmes, pareillement nus et libres, égaux sous la toise de Dieu. Il n'y a plus de pauvre ni de riche, de faible ni de puissant, d'audacieux ni de timide, mais la même âme éternelle, le même reflet divin.

Celui qui sait comment se soustraire à l'univers extérieur pour se réfugier en Dieu possède la clé de la paix et du bonheur en *ce* monde car il peut, à tout moment et sans la permission de personne, se réaliser pleinement et supérieurement agir.

LA CHAMBRE DU ROI

C'est dans ce sens qu'il vous a été dit que vous étiez un temple de Dieu car un autel est perpétuellement dressé en vous-même. Vous en êtes à la fois le fidèle et le desservant.

Par suite vous n'avez pas à chercher ailleurs ce qui est en vous. Partout où vous allez est votre oratoire caché. Vous êtes libre d'y descendre à toute heure de jour et de nuit. Aucun empêchement ne peut vous détourner de cette communion intime qui vous rapproche à ce point de Dieu que Dieu est en vous et que vous êtes en lui. Sans doute il y était déjà et vous y étiez aussi mais, la plupart du temps, sans que vous le sachiez, sans que vous en ayez conscience. Et comment en serait-il autrement? Personne ne vous a montré l'importance de ce merveilleux secret: *ne faire qu'un avec le Père,* bien que l'Évangile de Jean l'ait répété sur tous les tons. Aussi vous avez jusqu'ici considéré Dieu comme extérieur à vous. Dans la plus belle église et le temple le plus grandiose vous ne vous sentez pas chez vous mais chez lui.

Dans la Chambre du Roi, qui est au centre de votre pyramide spirituelle, il n'y a place que pour Dieu et vous. Là vous ne parlez pas à Dieu par personne interposée. Là brûle perpétuellement un cierge invisible; là de grandes orgues inaudibles pour le reste des hommes jouent, pour vous seul, leurs *Te Deum* triomphants. Vous priez par le seul fait que vous êtes enfermé dans la chambre close et que la moindre de vos pensées est divinisée aussitôt.

Qu'importe dans ces conditions, le lieu extérieur où vous êtes! Vous y avez accès à toute minute de votre vie; en public comme en privé. Vous avez la faculté de vous retrancher du monde au milieu même de la foule, dans un car, dans un wagon, dans le métro, etc. Il vous suffit de fermer les yeux et vous pénétrez dans le sanctuaire. Vous êtes instantanément et de plain-pied dans le territoire divin.

C'est à ce moment, quand vous avez tiré le rideau entre le monde formel et vous, que vous devenez conscient de votre identité véritable et que vous vous sentez le frère et l'égal *de* tous les hommes, qui sont les enfants de Dieu comme vous. Vous n'avez plus alors aucun complexe d'infériorité, vous ne vous sentez plus diminué par rapport aux autres êtres mais, au contraire, animé du sentiment de votre supériorité sur ceux qui ne sont pas admis auprès du Roi.

De quel Roi s'agit-il? direz-vous. Du seul Roi véritable, de Celui que Jésus nommait le Père. Et puisque vous êtes un avec le Père, vous aussi vous êtes roi.

En dépit de la grandeur de cette sublimation de l'homme le plus dénué socialement et des répercussions qu'elle peut avoir sur toute une vie, infiniment rares sont ceux qui ont accompli leur métamorphose spirituelle et de larves inconscientes qu'ils étaient sont devenus adultes en esprit. C'est donc que tous ne sont pas mûrs pour l'éveil et que, par une grâce subtile d'En-Haut, les plus humbles, les plus pauvres, les plus méprisés sont les premiers admis à la Table Céleste, justement parce que leurs biens, leurs honneurs, leurs jouissances ne leur masquent pas l'entrée de la Chambre du Roi.

Si donc celui qui vit dans l'orgueil, l'envie, la débauche, la richesse désire entrer dans la Chambre, il faut qu'il se dépouille entièrement en esprit. C'est seulement quand il sera nu et pareil à l'Adam biblique qu'il apercevra l'issue que son égoïsme lui cachait. Mais celui qui n'a rien ou ne s'attache à rien est, aux yeux de Dieu, le plus riche des hommes parce qu'il lui suffit de vouloir pour être semblable à lui.

LES ROIS DE LA VIE

Dans la précédente CLÉ, la distinction primordiale a été faite entre le JE et le MOI, le premier étant considéré comme la partie immortelle de l'Homme, en raison de son origine divine, et le MOI comme sa partie périssable et promise à la dispersion.

C'est dire que seul le JE peut entrer dans la Chambre du Roi, et que l'accès en est interdit au MOI puisqu'il s'agit d'un réduit sans lieu ni forme, donc soustrait aux mesures de temps et d'espace dont le MOI se sert.

Vous ne pouvez être atteint que dans votre MOI et votre MOI ne peut être atteint que par le MOI des autres. C'est votre MOI qui éprouve la souffrance physique ou mentale, votre MOI qui se trompe, qui butte, qui erre, qui se cogne aux murs. Mais rien ne peut atteindre votre JE qui est sur un autre plan que celui de la forme. Cette région de vous-même est inaccessible à la maladie, au doute, à la peur. Le JE ignore l'insuccès et les mécomptes. En vous tenant sur son terrain vous éliminez toutes les faiblesses inhérentes au MOI. C'est un changement de décor instantané qui se fait sans machines ni machinistes. Une simple détermination intérieure y suffit.

Ce pouvoir absolu de tout modifier en vous est à la disposition de toutes les créatures intelligentes. Mais, il faut bien le dire, seuls l'utilisent quelques privilégiés. Ceux-là ont compris que la manoeuvre des leviers de l'existence ne se fait pas par le dehors mais par le dedans. Ils ne cessent pas pour cela d'avoir les pieds dans ce monde, où ils poursuivent leur expérience matérielle, mais ils ont la tête et le coeur dans les régions hautes où tous les problèmes sont résolus.

Ils étaient auparavant des esclaves de leurs sens comme vous, des opprimés comme vous, des impuissants et des peureux comme vous.

Ils voient clair aujourd'hui, ils sont libres, confiants, radieux.

Ce sont des rois de la Vie.

PARABOLE DE FRANÇOIS D'ASSISE

Nulle existence n'était plus dissolue que celle de François d'Assise. Il était l'enfant apparemment privilégié d'un riche négociant et jouissait de tous les plaisirs convoités par la plupart des hommes. Son existence s'écoulait au milieu des fêtes et des dissipations.

Mais son JE veillait au fond de son MOI. Son MOI seul s'abandonnait à l'orgie tandis qu'aucune souillure matérielle ne pouvait atteindre son JE. Il était marqué par la grâce de Dieu qui veillait sur cette brebis perdue et attendait tranquillement son heure pour la libérer sans retour.

De quelle manière cette grâce s'abattit-elle sur François? De la même façon que sur Saul de Tarse, égaré en direction de Damas. De la même façon que sur Augustin, vautré dans ses bacchanales. De la même façon que pour de Foucault, empêtré dans ses erreurs.

Ce fut une illumination. François découvrit le sanctuaire enfermé dans sa personne. La lumière de son temple secret lui parut si éblouissante qu'il demeura aveugle au monde extérieur. Dès lors il renonça à tout, jeta ses habits de riche, prit le ciseau et la truelle et se mit à construire pour la plus grande gloire de Dieu. Et toutes ses limitations de jeune débauché disparurent. Il sentit ses frontières s'accroître et s'étendre jusqu'aux cieux.

C'est à ce moment qu'il devint le père spirituel des plus petits d'entre les pauvres, ceux dont le dénuement extérieur cache l'abondance spirituelle et qui sont riches en Dieu.

Les phénomènes naturels lui firent leur soumission et il reçut l'hommage direct des bêtes fauves elles-mêmes, parce qu'il était l'égal de toutes les créatures et entré vivant dans le coeur de Dieu.

Il n'y a pas de hasard, mais des lois qui dépassent l'intelligence.

CHAPITRE XII

VOUS ÊTES PLUS GRAND QUE VOUS

L'HOMME EST TOUT AUTRE CHOSE QU'IL NE CROIT

Rien n'a davantage fait pour abaisser l'Homme, ravaler sa condition et le doter d'une âme d'esclave que la croyance où il est — et qu'on a entretenue — de sa limitation aux contours de son corps.

De sorte qu'aujourd'hui innombrables sont ceux qui se jugent bornés par leur surface et qui s'imaginent que leur personne s'arrête à leur épiderme, à leurs ongles et à leurs cheveux. Les doctrines matérialistes ont contribué plus que tout à persuader l'être humain qu'il n'est qu'un agrégat d'atomes, un assemblage de cellules, une juxtaposition d'organes limités dans l'espace et le temps. D'où la certitude pour l'athéisme philosophique et politique que l'Homme naît par hasard de la chair et se disperse organiquement à la mort. Entre ces deux termes l'individu humain n'apparaîtrait que comme le jouet des êtres et des choses, avec prédominance de quelques forts sur la masse des faibles et exploitation de la multitude des faibles par une poignée de forts.

Présentée sous cet angle faux la Vie ne mériterait même pas d'être vécue et l'on ne voit pas ce qui la distinguerait de celle des bêtes si ce n'est par la conscience de son avilissement.

En réalité l'Homme est tout autre chose que cela. Son organisme corporel n'est que la région apparente de son être et sa manifestation dans le seul domaine formel. Vos prolongements sont innombrables tant dans l'ordre fluidique que dans l'ordre magnétique, sans compter l'étendue de vos états radiants.

CONNAISSEZ VOTRE IDENTITÉ VÉRITABLE

En outre, votre plan mental n'est que l'accessoire de votre plan spirituel, lequel vous apparente aux êtres divins sans durée et sans forme, si bien qu'on a pu dire des plus évolués des humains que leur domaine caché était sans limitation.

Or cette géographie insoupçonnée de l'être humain n'est le monopole de personne. Tous les hommes, quels qu'ils soient, et si misérable que soit leur personnalité apparente, disposent exactement de la même étendue avec les facultés et les pouvoirs qui s'y trouvent attachés. Il n'y a pas la plus petite différence entre leur JE et le JE des autres. Mais quelques-uns seulement en ont la connaissance alors que la presque totalité des hommes l'ignore absolument. De là ce sentiment d'abaissement, d'indignité, d'infériorité dont souffrent tant de cerveaux même d'élite, tant il est vrai que les plus beaux dons n'ont pas de valeur intrinsèque et ne se révèlent que par la conscience qu'on en a. Aussi l'Humanité ne constitue-t-elle qu'un vaste troupeau anonyme, ignorant son identité.

LES TROIS GROUPES D'ESPRITS HUMAINS

Certains esprits du mal, égarés parmi les hommes, arrivent à fédérer et à mettre sous leur gouverne la puissance inutilisée des MOI. D'où ces mauvais conducteurs de peuples ou de races, qui sévissent, de temps à autre, pour le malheur des peuples asservis. L'Histoire est là pour dire combien leur tyrannie est brève. L'ignominie de la chute est proportionnée à la grandeur des méfaits.

Par contre, certains esprits du bien, descendus exprès parmi les hommes, parviennent à unir et à prendre en main les puissances inutilisées des JE.

De sorte que l'Humanité se compose de trois parties distinctes: la première, formée d'un petit nombre d'esprits majeurs, qui administre les forces inconscientes dans un but d'altruisme; la seconde, composée d'un nombre encore plus restreint d'esprits mineurs, qui se sert de ces mêmes forces ignorantes dans un but d'égoïsme; la troisième comprenant les quatre-vingt-dix-neuf centièmes des hommes et des femmes, qui n'a ni conscience propre, ni volonté personnelle et constitue la multitude grégaire des menés et des assujettis.

Cette division persistera tant que les êtres de la dernière catégorie continueront à fermer les yeux sur leur condition véritable, à ignorer leurs capacités réelles et à négliger l'enseignement qui leur est offert. Sans doute les éveils vont se multipliant à la faveur de la tragédie moderne qui secoue les consciences endormies et les met en face de leur destin. Mais pourquoi attendriez-vous que ce réveil se généralise, alors qu'il s'écoulera des siècles avant que l'Humanité entière sorte de sa torpeur? Pourquoi resteriez-vous l'une des brebis aveugles d'un troupeau sans liberté? N'avez-vous pas envie de jouer votre rôle individuel avec toutes les exaltantes possibilités que cela comporte? Ne voulez-vous pas vous réaliser vous-même? N'ambitionnez-vous pas d'accéder au rang de conducteur?

Alors brisez définitivement avec votre conduite passée. Ne restez pas à la merci d'influences qui vous débordent et de décisions prises sans votre aveu. Ayez voix au chapitre en prenant conscience de votre grandeur authentique. Prenez place parmi les sages du monde qui sont prêts à vous accueillir.

ÉTENDUE DE L'HOMME INTÉGRAL

Mais, dans ce cas, agissez conformément à la loi qui veut que vous preniez totalement connaissance de vous-même et que vous deveniez l'Homme Total que vous êtes sans le savoir.

Si vous n'agissez que par l'Homme partiel au milieu des autres créatures partielles vous ne pourrez nécessairement obtenir que de partiels résultats. Car tous sont armés des mêmes armes matérielles que vous, tandis que si vous êtes seulement quelques-uns à connaître les pouvoirs de l'Homme Total et à vous en servir, votre supériorité sera grande sur la foule de ceux qui sont limités par leur conscience et laissent à l'abandon la plus importante partie d'eux-mêmes et ne soupçonnent pas leurs propres dimensions.

Jusqu'où peut s'étendre l'Homme Réel? Il est impossible de le dire, tant il est haut d'étage et tant ses fondations plongent dans les profondeurs. Sachez seulement que cet Homme Réel peut aller jusqu'aux étoiles par le miracle de sa pensée et l'efficacité de son libre-arbitre dans un univers déterminé.

Quand vous l'aurez compris vous évoluerez à travers la totalité et la réalité des autres hommes, avec le pouvoir redoutable de les influencer en bien ou en mal. Gloire à vous si vous agissez sainement sur leurs inconsciences! Malheur à vous si, à leur insu, vous les ensemencez en mal!

VOS RÉALITÉS VIVANTES

On reconnaît aujourd'hui seulement que l'Homme a plusieurs étages. Les matérialistes eux-mêmes admettent la réalité de la subconscience qu'ils nomment aussi l'inconscient. C'est la partie instinctive de l'être humain, celle qui plonge dans l'animalité et résulte en partie des legs héréditaires mais aussi la région inconsciente de votre mental. Là se trouvent enfouies des réserves surprenantes d'énergie, les unes physiques, les autres cérébrales et dont l'administration échappe à presque tous.

Vous avez cependant un pouvoir d'action sur la subconscience, ne serait-ce qu'au moyen de l'autosuggestion. Ce sujet a été trop débattu et controversé pour qu'on s'y attarde. Qu'il suffise de dire que chacun est libre de s'autosuggestionner en bien ou en mal. Et là réside, une fois de plus, la preuve que l'Homme dispose, s'il le veut, d'un réel libre-arbitre puisqu'il peut, à tout moment, cesser de s'autosuggestionner en mal pour s'autosuggestionner en bien.

Peut-être vous, qui lisez ceci, voudrez-vous, après cette lecture, réformer vos conditions de vie et transformer en joie ce qui vous paraissait chagrin. Alors les sceptiques diront que vous y avez été déterminé par le présent livre, ce qui n'enlève rien à votre autonomie puisque vous avez choisi de le lire en toute liberté.

Qui vous empêchait de lire à la place un roman policier? Pourquoi avez-vous préféré la lecture de la *Nouvelle Clé* à celle d'un ouvrage d'aventures? Parce que votre conscience claire en recevait l'impulsion de votre superconscient.

LES ÉTAGES SUPÉRIEURS

Car vous voici parvenu au contact d'un étage supérieur de l'Homme, qui domine d'aussi haut votre conscience mentale que celle-ci domine l'inconscient. Cette superconscience est un des attributs quasi-divins mis à votre disposition par les Puissances de la Vie et l'un de ceux qui vous soustraient le mieux au déterminisme universel.

C'est de la superconscience que naît l'intuition, moyen inhabituel de perception en dehors du raisonnement et de la logique et qui s'impose à votre mental. Depuis son origine, l'Homme a sans cesse perfectionné dans son cerveau les facultés de raisonnement et de logique. Il a créé pour cela des écoles et des universités. Tout ce qui était de nature à fortifier et développer son instrument mental dans la voie de la déduction il l'a fait au cours des siècles et vous êtes parvenu avec lui à l'âge du matériel conduit par le mental. Mais rien n'a été fait pour éduquer le sens de l'intuition, bien que celle-ci dépasse de loin les possibilités purement cérébrales dans la préhension des choses inconnues qui échappent précisément au cerveau. Ce cerveau ne les enregistre pas moins mais comme un instrument inférieur à sa tâche. Il apparaît même que le cerveau humain n'est là que pour vous empêcher de penser à quatre dimensions. Alors que nous aurions assisté à un développement animique prodigieux de l'Homme si celui-ci avait consacré à l'amélioration de ses perceptions supraconscientes le millième seulement des soins qu'il a donnés à l'amélioration de son conscient.

CECI VOUS CONCERNE SPÉCIALEMENT

Il n'est pas trop tard pour y remédier, non en ce qui concerne l'ensemble de la population humaine, qui n'arrivera que tardivement à la compréhension de ses moyens, mais en ce qui vous concerne, vous qui êtes destiné à faire partie d'une élite spirituelle et qui tentez maintenant de vous créer une âme neuve dans un corps nouveau.

Si pénible que cela puisse sembler à l'ancienne suprématie masculine, la Femme est infiniment mieux douée que l'Homme pour se soustraire à son mental. Dans le couple, où le mâle joue un rôle pondérateur, la femme est la plus qualifiée des deux pour sonder les autres sphères. Moins esclave que son compagnon du rationnel, moins enchaînée au mécanisme primaire de la logique, elle est spontanément capable d'envolées interdites à l'homme et à sa pesanteur. C'est pourquoi la femme est actuellement d'esprit plus religieux que l'homme. C'est sans effort qu'elle se hausse du plan humain au plan divin. C'est aussi pourquoi, dans les âges qui viennent, on assistera à l'avènement spirituel de la femme et à la glorification de son sens intuitif.

LE SOMMET DE VOTRE INDIVIDU SPIRITUEL

Au-dessus de la superconscience est le JE, cette région divine de vous-même, qui échappe à toutes les contingences et réunit toutes les possibilités.

Le JE est votre point culminant, le sommet de votre individu spirituel, en même temps qu'un instrument impérissable, vous permettant, en toutes circonstances et même au-delà de la mort, de collaborer directement avec Dieu.

Qui que vous soyez, vous pouvez à tout moment vous extraire de votre MOI par délibération mentale et vous réfugier dans votre JE. Celui-ci est votre indestructible abri, votre tente imperméable, le réduit secret dont nous parlions plus haut, votre Chambre du Roi.

Vous êtes maître d'effectuer ce dédoublement par simple décision de la volonté, par conséquent de quitter les territoires de la personnalité où règnent la fatigue, le doute, la peur, l'accident, la guerre, la maladie, pour gagner les plans de l'individualité où tout est simple, grand, pur et harmonieux. C'est par l'emploi de cette faculté, laissée aux plus compréhensifs et intelligents des hommes que vous avez la possibilité de vous soustraire aux misères de la vie courante pour jouir des splendeurs du climat divin. Mais cela n'est l'apanage que de quelques-uns alors que ce devrait être celui d'un grand nombre d'hommes. Soyez l'un de ceux qui accèdent au paradis sur terre et connaissent, dès à présent, les délices de l'Éden.

PARABOLE DU MAÎTRE

Un maître spirituel disait à ses disciples:

— Vous êtes tous dissemblables par le corps et par l'intelligence mentale alors que vous êtes tous semblables

en esprit. Parmi les gens qui sont venus me consulter et me demander une règle de vie j'ai reçu, le même jour, la visite d'un des plus puissants radjahs de l'Inde et celle d'un misérable paria. Tandis que le premier commandait à une armée de serviteurs et de soldats et ne savait que faire de ses éléphants et de ses richesses, le second vivait du plus abject des métiers réservés aux intouchables puisqu'il enlevait les cadavres et vidangeait les lieux impurs. Après les avoir entendus l'un après l'autre (et le serviteur avant le maître) je dis à celui-ci qui s'étonnait de passer après un paria obscur: «Tu crois être plus que lui et pourtant il te dépasse de cent coudées parce qu'il est bien pourvu spirituellement et que toi tu es dénué en esprit. Tu le sais si bien que tu es venu me trouver dans ta détresse morale. Sache donc que c'est lui le riche et que le pauvre c'est toi. Ton aura ne dépasse pas la largeur d'un empan alors que la sienne couvre l'étendue d'une province.» Ces paroles agirent à ce point sur le radjah qu'il prit aussitôt la main de l'intouchable. Et comme sa suite nombreuse s'en étonnait il leur dit: «Je ne suis même pas digne de son contact.»

Notre époque n'est pas une période de désordre mais de réorganisation.

RÉSUMÉ ET DERNIÈRES PAROLES

Ainsi vous êtes, à partir d'aujourd'hui, en mesure d'adopter le nouveau système de vie en vous libérant des préceptes morbides dans lesquels on vous a jusqu'ici ligoté.

Pour cela il importe, comme on vous l'a dit, de vous débarrasser de la notion du péché qui paralyse et torture encore des millions de créatures humaines. L'indignité congénitale de l'Homme est une fable et le péché originel un mensonge des religions de salut. L'Homme est né élémentaire et imparfait parce que Dieu l'a créé tel et ne saurait lui en faire le reproche. S'il l'avait créé parfait, et la créature avec lui, où serait la vertu de l'Évolution puisque celle-ci serait terminée avant d'avoir commencé?

En vérité *«l'Intelligence Suprême a tiré le désordre du chaos et tente de sortir l'ordre du désordre, en attendant que l'harmonie naisse de l'ordre et que de l'harmonie sorte la perfection.»*

Tout le système évolutif est basé la-dessus et nous y sommes, comme Dieu mais à des degrés moindres, parties prenantes. Car l'évolution du monde est un tout qui se dirige irrésistiblement dans le même sens. Aucun de ceux qui se trouvent dans son torrent n'est libre d'en renverser la marche. Ce qui s'y oppose est malmené et brisé.

Telle est la loi évolutive à laquelle Dieu qui l'a voulu n'a lui-même plus la possibilité de se soustraire, sous peine de détruire l'équilibre qu'il a créé. Moins encore que lui les êtres et les choses ne peuvent modifier le cours d'une évolution qui se fait chaque jour plus pressante et, par les malaises qu'elle provoque, nous avertit de l'urgence de nous y associer.

N'ayez donc pas honte de votre condition, de sa précarité, de sa fragilité, de sa faillibilité même. Vous avez été pensé, voulu tel que vous êtes pour que vous ayez le mérite de progresser. Vos soi-disant péchés ne sont que des erreurs et non des opprobres. Ces erreurs vous avertissent d'elles-mêmes et vous invitent de plus en plus impérieusement à changer de direction.

Il n'est nul besoin d'enfer ou de paradis après la mort. L'Évolution se charge de remettre toutes choses en place et de distribuer dès cette vie ce qu'il faut de paradis ou d'enfer.

Lorsque vous jugez d'une existence d'homme par ses jouissances ou sa situation apparentes vous commettez la même erreur que lorsque vous le jugez par ses chagrins et ses maux extérieurs. En réalité vous ignorez tout de son comportement secret, de ses joies comme de ses peines. Dieu seul connaît et pèse les coeurs.

Votre rôle humain n'est pas plus d'être jouisseur que d'être ascète. Vous avez à vous garder autant d'Épicure que de Zénon. Par contre, vous incombe le strict devoir d'être heureux de manière à pouvoir contribuer au bonheur des autres, ce qui serait impossible si vous étiez vous-même malheureux.

Dieu est le suprême contentement. Et s'il vous a fait à son image c'est pour que vous respiriez le consentement avec lui. Ayez, par suite, la contenance de l'homme satisfait de son sort mais songeant sans cesse à l'améliorer et à améliorer celui des proches qui l'entourent comme aussi des hommes lointains qu'il ne connaît pas.

Dieu est abondance dans sa magnifique plénitude. Que, par conséquent, l'abondance soit l'un de vos buts constants! Vous avez l'obligation d'être abondant, de créer toujours plus d'abondance, de faire en sorte que l'abondance règne en vous et autour de vous. Plus chacun a d'abondance, plus l'Humanité aussi a d'abondance. Il n'y a pas de limite à l'abondance parce que c'est un trésor divin.

Alimentez-vous, physiquement et spirituellement, pour que, non seulement votre organisme apparent mais aussi votre organisme caché en bénéfice.

De même respirez en corps et en esprit afin d'emmagasiner au maximum l'influx vital.

Livrez-vous aux sports avec modération. Jouissez intensément des spectacles de la Nature. Collaborez avec celle-ci sans la violenter. Élevez la Nature en la spiritualisant.

Enrichissez-vous par la musique et par les arts mais seulement de leurs beautés spirituellement valables.

Lisez ce qui vous élève et non ce qui vous abaisse.

Prenez contact avec toutes les races de la Terre. Efforcez-vous de les comprendre, ce qui est le meilleur moyen de les aimer.

Recherchez toujours plus de vie car la Vie est d'essence divine. Exaltez le bien et niez le mal.

Croyez à votre liberté. Ne vous laissez pas affaiblir par la croyance en l'inéluctable déterminisme. Il n'y a de fatalité que pour les inconscients et les faibles. L'homme conscient édifie de toutes pièces son destin.

Dites-vous que rien n'a de sens ou de valeur en soi mais que tout est fonction de votre interprétation dont vous êtes le maître unique.

Si vous décidiez le pire vous auriez le pire. Décidez le mieux et vous aurez le mieux.

Que tout ce que vous faites soit sanctifié par l'intention! Que chacun de vos actes soit prière! Que chacune de vos paroles soit bénédiction!

Demandez sans cesse, demandez sans trêve, de façon à tout recevoir. Mais donnez aussi, en même temps, pour que le circuit d'échange s'établisse et que vous soyez payé de retour.

Prenez l'habitude de vivre divinement en vous retirant dans votre JE, qui est votre réduit ultime, à l'abri des tempêtes extérieures, et retrouvez-vous de temps en temps dans votre chambre secrète, face à face et en union intime avec le Père, avec le Roi.

QUELQUES PENSÉES À MÉDITER

Dieu est tout parce qu'il est Un.

* * *

Croire au démon c'est blasphémer Dieu.

* * *

Il vaut mieux considérer le malheur en allié que le bonheur en ennemi.

* * *

Bonheur et malheur ont deux versants.

* * *

Le malheur n'a pas son nom sur une visière.

* * *

L'erreur n'est pas le mal.

* * *

Il y a toujours quelque chose de mieux à faire.

* * *

L'Amour individuel est une des clés de l'Amour universel.

* * *

Tout acte qui n'est pas expressément un acte de paix est un acte de guerre.

* * *

Il n'y a pas besoin de règles théologiques pour aimer.

* * *

Dès qu'on tourne le dos à l'Amour on est en contradiction avec le Tout.

* * *

Pour mériter l'alliance de Dieu il faut s'allier avec Dieu.

* * *

Que votre dot soit la confiance!

* * *

Se tenir serré contre Dieu.

* * *

L'Amour est la seule face de Dieu que l'Homme puisse contempler.

* * *

La Vie ne s'étreint et ne se possède qu'intérieurement.

* * *

Le partie de la Vie ne se joue pas avec un mort.

* * *

Ce qu'il faut gagner c'est l'ensemble de la partie.

* * *

La partie de l'existence ne finit jamais.

* * *

La Vie est l'Évolution.

* * *

Donner sa vie de chaque jour.

* * *

Aucune goutte d'amour n'est perdue.

* * *

Il existe des hommes qui sont des sources chaudes.

* * *

L'Amour est le levier du monde.

* * *

Tout amour suppose un sacrifice.

* * *

Nul au monde n'est sans amour.

* * *

Crevez le cerceau de papier de la logique.

* * *

Se faire ermite en soi-même.

* * *

Avoir son église en soi.

* * *

Il ne suffit pas de boire; il faut amener les autres à la source.

* * *

Transfigurez votre vie.

* * *

Vivez au jour le jour.

* * *

On est toujours libre quand on est enchaîné à ce qu'on aime.

* * *

Le travail de l'homme ne vaut que par l'intention.

* * *

Joie et tristesse s'ensemencent.

* * *

Faites votre révolution intérieure.

* * *

La joie naît de la joie.

* * *

On demande tout à Dieu mais que lui donne-t-on?

* * *

Donner c'est, avant tout, se donner.

* * *

L'invisible est la serrure du monde apparent.

* * *

L'hostilité de la Nature et des êtres n'est qu'un état de notre coeur.

* * *

Ce qui compte, ce n'est pas tellement le but que le cheminement vers le but.

* * *

Sachez apprécier la valeur spirituelle de l'effort et non la grandeur matérielle des résultats.

* * *

Crucifiez votre égoïsme.

* * *

Réformez le monde en réformant la conscience que vous en avez.

* * *

L'Esprit sait exactement ce qu'il vous faut.

* * *

N'attendez pas les autres pour vous mettre en route.

* * *

Toujours partir gagnant.

* * *

C'est ce que vous pensez qui sera.

* * *

La métamorphose spirituelle n'est jamais achevée.

* * *

La vocation est une forme sublimée de l'intérêt.

* * *

Jouez toujours gagnant.

* * *

Avant de juger le seuil d'autrui balayez devant votre porte.

* * *

Pensez contre l'apparence et vous la conformerez à la réalité.

* * *

Il ne peut y avoir dans les peuples que ce qu'il y a dans les individus.

* * *

Que votre oui soit oui!

* * *

Le ventre ne vient qu'après.

* * *

Chaque homme est un cas d'espèce.

* * *

Mangez peu et bien.

* * *

On ne conserve l'abondance que si l'on est comme un canal ouvert à chaque bout.

* * *

Plus on ouvre en grand le robinet plus il vient d'eau de la Source.

* * *

La joie de l'abondance suppose l'abondance de la joie.

* * *

La santé n'est pas un fait mais une attitude.

* * *

Chassez la peur de vous et la maladie n'y viendra point.

* * *

N'ayez pas la crainte de vous-même.

* * *

Dans la vie ne demeurez pas en arrière.

* * *

Ne marchez pas avec un bâton entre les jambes.

* * *

Ne mettez pas votre âme en perte de vitesse.

* * *

La formule du bonheur est individuelle.

* * *

Cherchez d'abord votre axe spirituel.

* * *

Le véritable guérisseur est en vous.

* * *

L'optimisme est un climat intérieur.

* * *

La foi exclut le pessimisme.

* * *

Apprenez à marcher sur l'eau.

* * *

Décidez au lieu de subir.

* * *

Ce n'est pas tant la stabilité de votre emploi qui importe que votre propre stabilité.

* * *

C'est à force de perdre des parties qu'on devient habile aux échecs.

* * *

Tout est fait pour vous aider à résoudre votre problème intérieur.

* * *

L'eau ne vient pas du robinet mais de la source.

* * *

Tout homme est une demeure de l'Esprit.

* * *

Changez les pierres en joyaux.

* * *

L'homme qui pense dans la même direction laboure profondément la Substance invisible.

* * *

On ne démontre pas Dieu; on l'expérimente et on le vit.

* * *

Votre ennemi est le miroir de votre âme.

* * *

Sortez du monde des sensations pour vivre dans le monde des sentiments.

* * *

Pour agir sur l'homme visible il faut agir sur l'homme invisible.

* * *

Le moment est venu pour vous de réviser toutes vos valeurs.

* * *

Cherchez la cause et non l'effet.

* * *

Le monde sera ce que vous le concevrez.

* * *

Mettez-vous en chemin sur l'heure.

* * *

Croyez à la Vérité et la Vérité vous fera libre.

* * *

Demandez et vous recevrez.

* * *

TABLE DES MATIÈRES